Laura Valdiserra

TUTTO ESERCIZI DOC

italiano 5

Mi esercito, mi alleno, imparo in un baleno!

Incollo qui la mia fotografia
e scrivo il mio nome

....

GIUNTI Scuola

Nel tuo quaderno troverai esercizi per ricordare e applicare ciò che hai imparato

in compagnia di tre simpatici amici...

ELEFANTE MEMO
- per ricordare le regole utili
- per mettcrti alla prova e vedere quello che sai

STOP! VERIFICO CIÒ CHE SO

CONSIGLIO!

GUFO GUFI
per utili suggerimenti in modo che tu possa svolgere bene gli esercizi!

RANA RITA
agile e leggera per proporti ogni tanto esercizi che richiedono un po' più di riflessione.

per te anche: **VADO ALLA SCUOLA SECONDARIA**

pagine per passare con tranquillità alla classe successiva.

Direzione editoriale
Tullia Colombo

Coordinamento di redazione
Carlotta Ferrari Lelli

Redazione
Nicoletta Baldini, Elena Falco,
Maria Grazia Iarlori, Rossano Palazzeschi

Progetto grafico
Sonia Mastrogiuseppe

Impaginazione
Elisabetta Giovannini, Simona Massucco

Disegni
Archivio Giunti, Lia Frassineti

www.giuntiscuola.it

Prima edizione: luglio 2010

Ristampa	Anno
9 8 7 6 5	2015 2014 2013

Stampato presso Giunti Industrie Grafiche S.p.A.
Stabilimento di Prato.

Gli-li-lli/gn-ni/cu-cq-qu

1 Completo con gli, li o lli.

gondo.......ere
sici.......ano
petro.......ere
sco.......era
gioco.......ere

gioie.......ere
fo.......ame
o.......era
pu.......ese
batta.......a

ci.......egia
a.......evo
baga.......o
so.......evo
venta.......o

bi.......ardo
trampo.......ere
sbadi.......o
ta.......ere
ma.......one

2 Sottolineo e riscrivo correttamente le parole sbagliate.

cuscino	sciaccuare	aquila	....
quadretto	squdetto	quore	....
loquace	incutere	cincue	....
squotere	taccuino	cuantità	....
acuto	annacquato	subaqueo	....
misquglio	scuola	quindici	....
soccuadro	cupola	questione	....

3 Con l'aiuto del dizionario scelgo la forma giusta delle seguenti parole e ne cerco il significato. Poi per ciascuna scrivo una frase.

• proficuo/profiquo • vacuo/vaquo • cospicuo/cospicquo

....

....

....

4 Completo con gn o ni.

pa........otta
co........ugare
conve........ente

compa........o
stra........ero
ge........o

inge........ere
so........are
carabi........ere

go........ometro
se........ale
gera........o

5 Coniugo alla prima persona plurale del modo e tempo indicato.

Infinito	Indicativo presente	Congiuntivo presente
sognare	....	....
guadagnare	....	....
insegnare	....	....
accompagnare	....	....
bagnare	....	....

ORA SO...
Distinguere e usare gli-li-lli / gn-ni / cu-cq-qu.

Sce-scie/ce-cie/ge-gie

1 Scrivo otto parole con sce.

....

....

2 Scrivo alcuni derivati di scienza e coscienza.

SCIENZA	COSCIENZA
....	....
....	....
....	....
....	....

3 Completo con ce, cie, ge, gie.

- A New York ci sono tanti gratta.........li.
- Mi serve la gomma per can.........llare.
- Metti il parmigiano nella formag.........ra.
- I medici indossano un cami......... bianco.
- Ho comprato due cami......... di seta.
- La superfi......... del mare era piatta.
- Il pastic.........re prepara una torta.
- Caterina ha gli occhi ....lesti.
- Oggi il ....lo è sereno.
- I raggi della bicicletta formano una rag.........ra
- Ieri ho assistito a un bel con.........rto.
- Ho messo la carne nel con.........latore.
- La nebbia avvol......... va ogni cosa.
- Mi piace il tuo bracciale d'ar.........nto.

FINISCI TU!

Le parole che finiscono in -CIA e -GIA al plurale perdono la i:
lancia → lance; valigia → vali....
Possono mantenere la i se davanti a -CIA e -GIA c'è una vocale: ciliegia → ciliege / ciliegie
Se sulla i cade l'accento, al plurale viene mantenuta: farmacìa → farmacìe
Camicia non perde la i: camicia → cami..... per non essere confusa con **camice**.

4 Volgo al plurale.

goccia	grigia	valigia ....
micia	reggia	pancia ....
bugia	acacia	bilancia ....
socia	magia	provincia....................
camicia	farmacia	spiaggia....................

ORA SO...

Usare sce-scie / ce-cie / ge-gie.

L'accento

FINISCI TU!

Quando l'accento cade sull'ultima sillaba di una parola, bisogna segnalarlo:
virtù, verità, ..., ...
I monosillabi che terminano con .... vocali vogliono l'accento: giù, ciò, può, più ...
Fanno eccezione qui, qua.
I monosillabi con .... vocale, non vogliono l'accento: su, re, tu, sta, me ...
Fanno eccezione i seguenti monosillabi, che possono essere accentati o no, a seconda della funzione che hanno: sì/si da/dà ne/né la/là li/lì te/tè di/dì se/sé

1 Metto l'accento sui monosillabili che lo richiedono.

- Alle cinque vengo da te a prendere un te.
- I soldi li ho posati li sul tavolo.
- Il medico mi ha detto di prendere una pastiglia al di.
- Ne io ne lei ne siamo state messe a conoscenza.
- Si, abbiamo deciso che stasera si parte.
- Da due anni quel pero non da piu frutti.
- Se ognuno pensa solo per se, non si combina niente.
- La casa di mia cugina è quella la in fondo alla strada.

2 Cancello con un tratto rosso l'accento dai monosillabi che non lo richiedono. Osservo l'esempio.

- Chi fa da sé fa per trè.
- Và bene, gli dirò di sì.
- Nò, non posso uscire.
- A tè forse non importa, a mè sì.
- È tardi! Sono già le sette!
- Quel vestito non mi stà più.
- La cerniera sì è rotta non và più né sù, né giù.
- Secondo la leggenda, Romolo fù il primo rè di Roma.

3 Metto l'accento dove occorre.

- Sei un vero amico. So che potro sempre contare su di te.
- Questa torta e una vera bonta. Ne prendero un'altra fetta.
- La mia mamma ha quarantatre anni, uno in piu di mio padre.
- Partiro domattina con il treno delle otto, cosi entro mezzogiorno saro a Roma.
- Piu tardi verro da te a prendere un caffe.
- Non so se ci aspettava qui. Gli telefonero per chiederglielo.
- Vorrei tanto che tu venissi al mare con me. Ti prego, non dirmi di no.
- Chi piu sa, meglio fa.

UN SALTO IN PIÙ

Per ciascuna di queste parole scrivo una frase sul quaderno.
capitàno/càpitano ancòra/àncora lèggere/leggère

ORA SO...
Usare l'accento.

L'apostrofo

L'apostrofo indica la caduta della vocale finale di una parola posta davanti a un'altra che inizia per vocale:

lo uovo → l'uovo   di estate → d'estate

1 Riscrivo le seguenti espressioni usando l'apostrofo.

da ora in poi ....
lo anno scorso ....
nello uovo ....
allo improvviso ....
senza altro ....
lo altro ieri ....
a quattro occhi ....
buona idea ....
niente altro ....
a quella epoca ....
a questa ora ....
ci entra ....
nessuna amica ....
anche io ....
di accordo ....
sin da ora ....

CONSIGLIO!

Ricorda che ciascuna, alcuna, nessuna, buona si comportano come l'articolo una: vogliono l'apostrofo davanti a nomi che iniziano per vocale.

2 Completo scegliendo le parole nei riquadri.

me/m'è
- Io non .... ne vado.
- .... nato un fratellino.

te/t'è
- Attento! .... caduta la penna.
- .... ne sei dimenticato?

ve/v'è
- .... ne andate già?
- Che cosa .... successo?

se/s'è
- .... puoi, chiamami.
- Lucia .... rotta un braccio.

ce/c'è
- .... un gatto alla finestra.
- .... ne vuole del tempo per finire!

ne/n'è
- .... vuoi ancora?
- Mi dispiace, non ce .... più.

3 Riscrivo le frasi sul quaderno correggendo gli errori.

- Allora stabilita, tutti i partecipanti alla gara si ritrovarono sul piazzale.
- All'ora, vuoi raccontarmi comè andata?
- Fra mezzora ti aspetto davanti alledicola.
- Hai avuto un idea geniale. Dora in poi chiederò sempre consiglio a te.
- Non sera mai vista tanta gente come quella s'era.
- Questanno vorrei fare un corso dinformatica.

ORA SO...
Usare l'apostrofo.

Il troncamento

Il troncamento è la caduta della vocale o della sillaba finale di una parola posta davanti a un'altra che inizia per vocale o per consonante.
Le parole che subiscono il troncamento non vogliono l'apostrofo.
È un **gran** (anziché grande) **bel** (anziché bello) lavoro.

1 Riscrivo le frasi. Faccio il troncamento dov'è necessario.

- Avete fatto un bello lavoro. ....
- Santo Francesco è il patrono d'Italia. ....
- La zia ha preparato un buono pranzetto. ....
- Ho avvisato ciascuno alunno. ....
- Mi dai quello pennarello? ....
- Qualcuno altro vuole parlare? ....
- Ciascuno atleta ha indossato la tuta. ....
- Nessuno indizio era contro di lui. ....

CONSIGLIO!

Ricorda che buono, ciascuno, alcuno, nessuno, si comportano come l'articolo uno: si troncano davanti a nomi che iniziano per vocale.

ATTENZIONE!

Questi troncamenti vogliono l'apostrofo:
poco ⟶ po'
le seguenti forme verbali all'imperativo:
fai (tu) ⟶ fa' dai (tu) ⟶ da' dici tu ⟶ di' stai (tu) ⟶ sta' vai (tu) ⟶ va'

CONSIGLIO!

Fai attenzione ai troncamenti che vogliono l'apostrofo!

2 Completo troncando le parole fra parentesi.

- (Stai) .... attento! Il pavimento è un (poco) .... bagnato e potresti scivolare!
- (Vai) .... fuori e chiama (quello) .... bambino.
- (Dici) .... alla maestra (quale) .... è la tua opinione.
- Ti prego, (fai) .... attenzione a ciò che ti dico.
- Hai fatto una (tale) .... confusione che non si capisce niente!
- La nonna ha portato un (buono) .... gelato.
- Adesso (vai) .... a chiamare tutti i tuoi amici e poi (dai) .... a ciascuno una fetta di torta.
- (Ciascuno) .... abitante è stato informato sulla raccolta differenziata dei rifiuti.

ORA SO...
Usare il troncamento.

Pronomi accoppiati, apostrofo e H (1)

I pronomi personali mi, ti, ci, vi, uniti ai pronomi lo, la, diventano me lo – me la / te lo – te la / ce lo – ce la / ve lo – ve la...
Queste forme unite al verbo avere diventano:

1 Completo con mela, me la o me l'ha.

- Ecco una bella .... matura: .... raccolta il nonno.
- .... presti la tua penna?
- Ho prestato la mia gomma a Sara e lei non .... più restituita.
- .... racconti ancora la fiaba di Cenerentola?
- La .... è il mio frutto preferito.

2 Completo con tela, te la o te l'ha.

- Ho comprato la .... per fare una tenda.
- Chi .... detto?
- Chi .... data questa matita?
- Ti serve una gomma? .... presto io.
- I jeans sono fatti con una .... robusta e resistente.
- Ho scritto una poesia: se vuoi .... faccio leggere.

3 Scrivo una frase con:

tela ....
te la ....
mela ....
me la ....

4 Completo con telo, te lo o te l'ho.

- Ho comprato un bel .... da mare.
- Non .... voglio ripetere più: .... già detto troppe volte.
- Se questo libro ti piace, ... compro volentieri.
- .... promesso: mi impegnerò.
- Ti piace tanto il mio pupazzo?............ regalo.

5 Completo con vela, ve la o ve l'ha.

- Chi .... raccontato?
- Mi piace andare in barca a ....
- Se la storia vi è piaciuta .... racconto ancora.
- Sul mare c'è una barca con la .... blu.
- Ho preparato una crostata di more: se vi piace .... faccio assaggiare
- Chi .... detto che la scuola era chiusa?

6 Scrivo una frase con:

telo ....

te lo ....

vela ....

ve la ....

7 Completo con velo, ve lo o ve l'ho.

- Sulle torte la mamma spesso mette lo zucchero a ....
- Questo esercizio .... già spiegato, ma se non avete capito .... ripeto.
- .... detto che per domani bisogna portare un taccuino? Non .... scordate!
- La sposa aveva un bellissimo .... ricamato.
- Il compito per domani .... scritto alla lavagna.

8 Completo con ce lo, ce l'ho, ce la, ce l'ha.

- .... fai leggere la poesia che hai scritto?
- Evviva! .... fatta!
- Non .... faccio piu!
- .... siamo proprio meritato!
- Questa figurina non ....
- La bistecca .... rubata la gatta.
- .... porti il libro?
- Abbiamo saputo la bella notizia: .... detta tua sorella.
- Devi credermi, il papà non .... con te!

9 Completo la tabella, poi volgo al passato prossimo.

PRESENTE	PASSATO PROSSIMO
Loro lo chiedono a me ⟶ Loro me lo chiedono	Loro me lo hanno chiesto
Tu lo spieghi a me ⟶	....
Loro lo dicono a voi ⟶	....
Loro lo scrivono a te ⟶	....
Loro lo ripetono a noi ⟶	....
Paola lo racconta a noi ⟶	....
Tu lo presti a noi ⟶	....
Loro lo danno a me ⟶	....

10 Sottolineo la forma corretta.

- Se **ce lo / ce l'ho**, **te lo / te l'ho** presto volentieri.
- **Te l'ho / te lo** ripetuto tante volte: non **te lo / te l'ho** scordare!
- **Me la / me l'ha** fai vedere la tua cameretta?
- Questo regalo **ve lo / ve l'ho** manda la nonna dalla Romania.

ORA SO...

Riconoscere e usare la giusta grafia dei pronomi personali accoppiati, usati anche con forme del verbo avere.

Pronomi accoppiati, apostrofo e H (2)

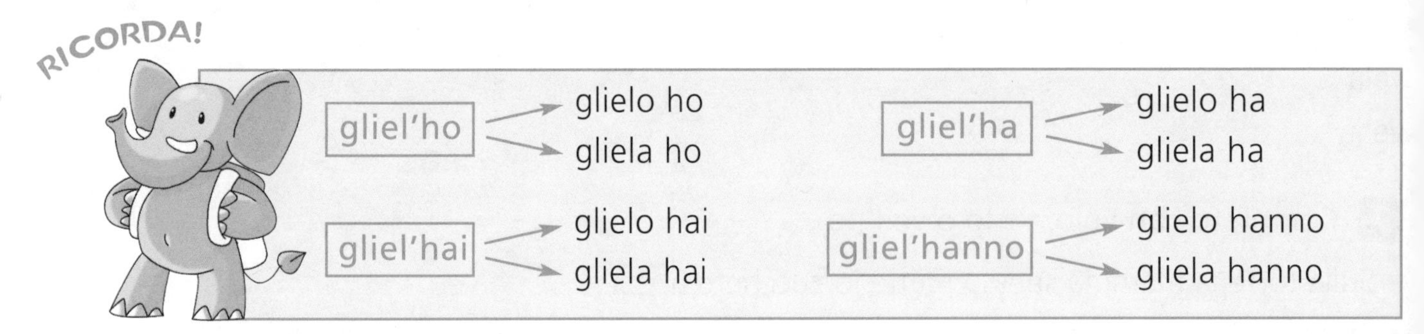

1 Completo con la forma adatta.

- Questa penna è di Carla. .... restituirò domani.
- .... detto più di una volta. Ma lei non mi vuole ascoltare.
- Non .... dire. Voglio farle una sorpresa.
- Perché non .... detto?
- Ecco il regalo che ho preparato per il papà: .... darò domani.
- Ti piace il nuovo cellulare di Martino? .... regalato i nonni.
- Ecco i compiti per Martina. .... porti tu?
- Se qualcuno ti presta le sue cose, ... devi restituire.

2 Trasformo come nell'esempio.

- Ho dato questo pacco a lui. → Gliel'ho dato.
- Hanno scritto queste cose a lui. → ....
- Hai chiesto questo a lei? → ....
- Diamo queste foto a loro. → ....
- Scrivo questo a lei. → ....
- Racconti questa storia a loro? → ....

3 Completo la tabella, poi volgo al passato prossimo.

PRESENTE	PASSATO PROSSIMO
Io lo dico a lei → Io glielo dico	Io gliel'ho detto
Tu lo regali a lui →	....
Lei li porta a lui →	....
Loro lo scrivono a lei →	....
Tu lo presti a loro →	....
La mamma lo ricorda a lui →	....
Io li presto a loro →	....

ORA SO...

Riconoscere e usare la giusta forma dei pronomi personali accoppiati, usati anche con forme del verbo avere.

Parole difficili, apostrofo, accento, pronomi accoppiati e H

1 Sottolineo la forma corretta tra quelle proposte.

- Non **te lo/telo** ricordi più? Eppure **te lo/te l'ho** detto tante volte!
- Bisogna comprare il pane. Non **ce n'è/ce ne** più.
- **Glielo/gliel'ho** spedito proprio adesso.
- Prendete lo zaino, non **ve lo/ve l'ho** scordate!
- Questa sciarpa **me la/me l'ha** fatta la zia con l'uncinetto.
- Non **ce lo/ce l'ho** scorderemo mai.

2 Completo con la forma adatta.

- Ne sei sicuro? Chi .... detto?
- .... dico sempre di fare attenzione, ma voi non mi ascoltate!
- Quel libro è bellissimo, ... consiglio.
- Di cioccolatini al latte .... sono ancora?
- Conosci la fiaba del "Gatto con gli stivali"? .... racconti?
- Questo CD .... regalato i miei cugini.
- Tu .... il compasso? .... presti?

3 Segno con ✗ la forma corretta.

- ☐ qual è
- ☐ qual'è
- ☐ d'accordo
- ☐ daccordo
- ☐ un ospedale
- ☐ un'ospedale
- ☐ buon'idea
- ☐ buon idea
- ☐ qualcun altro
- ☐ qualcun'altro
- ☐ Sant Antonio
- ☐ Sant'Antonio

4 Segno con ✗ la forma corretta.

- ☐ lance
- ☐ lancie
- ☐ uscere
- ☐ usciere
- ☐ coscenza
- ☐ coscienza
- ☐ qustode
- ☐ custode
- ☐ taccuino
- ☐ tacquino
- ☐ vignietta
- ☐ vignetta

5 **Nelle seguenti frasi mancano apostrofi e accenti. Sottolineo le parole in cui vanno inseriti, poi riscrivo le frasi correttamente sul quaderno.**

- Sai dove e andata la mamma? La sto chiamando da piu di un ora, ma non risponde ne al cellulare ne al telefono fisso.
- Sta fermo almeno per un po! Non ne posso piu di questa agitazione continua!
- So che potra farcela da se. Dora in poi non avra bisogno dellaiuto di nessuno.
- Lo sto aspettando da piu di mezzora: ceravamo dati appuntamento per le tre.
- Qual e il tuo papa? Il mio e quello la con limpermeabile blu.

L'articolo

FINISCI TU!

Articoli determinativi	Maschile		Femminile	
	Singolare	Plurale	Singolare	Plurale
	il gatto	i gatti	.... gatta	.... gatte

Articoli indeterminativi	Maschile Singolare	Femminile Singolare
	un gatto	.... gatta

Gli articoli indeterminativi non hanno plurale: si usano gli articoli partitivi.

Gli articoli partitivi sono: del, dello, della, dei, degli, delle.
Significano: *un po' di, una certa quantità di, alcuni/e.*

Ho comprato .... (un po' di) formaggio. Ho visto .... (alcuni) bambini.

1 Trovo un nome adatto per ogni coppia di articoli.

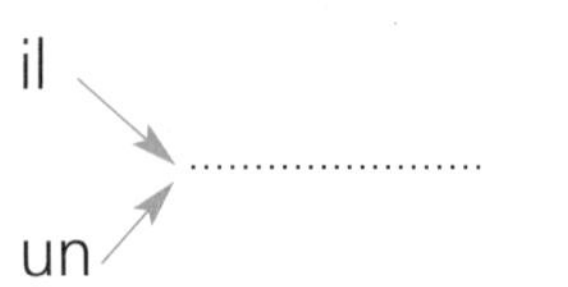
il / un → ....

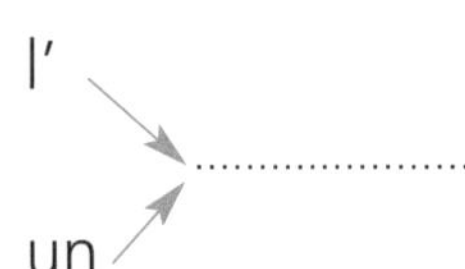
l' / un → ....

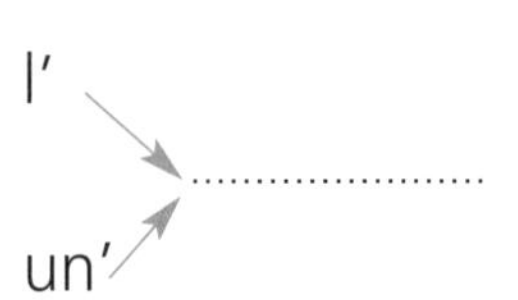
l' / un' → ....

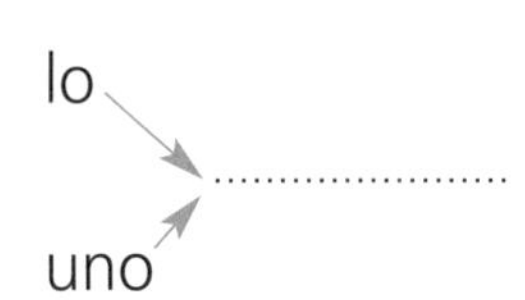
lo / uno → ....

i / dei → ....

2 Completo con gli articoli partitivi adatti.

- Al mercato il papà ha comprato .... arance e .... pompelmi.
- Stasera Gianni esce con .... amici.
- Per pranzo porto .... panini.
- A pranzo ho mangiato .... tonno.
- Vuoi .... formaggio?
- Nella cassetta c'era .... frutta marcia.
- A scuola abbiamo fatto .... maschere.

3 Inserisco gli articoli in queste frasi, poi sottolineo così: di verde gli articoli determinativi, di rosso gli articoli indeterminativi e di blu gli articoli partitivi.

- Al mare ho conosciuto........................... bambini cinesi. Insieme abbiamo costruito .... grandi castelli di sabbia e abbiamo giocato con .... tamburelli.
- Ho comprato .... bicicletta nuova: ha .... cambio automatico. Mi piace soprattutto .... suo colore: è di .... bel rosso acceso.
- Per magia i giocattoli presero vita: .... bambole iniziarono a cantare, ... pupazzi si misero a camminare, ... aerei si alzarono in volo. Solo .... anatra di peluche se ne stava immobile in .... angolo.

4 Sottolineo in rosso gli articoli partitivi e in blu le preposizioni articolate.

- Ho comprato dei biscotti.
- Al mercato dei fiori ho comprato dei tulipani.
- Per decorare il dolce mi serve della glassa.
- Nel giardino dei vicini ci sono delle rose.
- Dei gattini hanno trovato rifugio nelle cantine del palazzo.

ORA SO...
Classificare e usare gli articoli.

Il nome

1 Sottolineo i nomi nella filastrocca. Poi li inserisco nella tabella e completo.

Questa è la storia di Lisa Cipolla
Che piange a fontana per un nonnulla
Cadendo si fece un graffietto ai ginocchi
E un fiume di lacrime sgorgò dai suoi occhi

Un fiume in piena che andò verso il mare
E Lisa Cipolla rischiò di annegare.

Guido Quarzo, *Piccole Catastrofi*, Città Nuova

	comune	proprio	maschile	femminile	singolare	plurale
storia	✗			✗	✗	
....						
....						
....						
....						
....						
....						
....						
....						
....						
....						
....						
....						

2 Scrivo i nomi astratti corrispondenti ai seguenti nomi concreti.

amico amicizia
giudice ....
parente ....
scienziato ....
fratello ....
schiavo ....
poeta ....
pittore ....
matematico ....

3 Sottolineo i nomi concreti e cerchio i nomi astratti.

Questa è la storia di Franco Nervetti
Convinto d'essere senza difetti
Che avesse torto oppure ragione
Troncava sempre la discussione
E per sentirsi ancor più sicuro
Finì per parlare soltanto col muro.

Guido Quarzo, *Piccole Catastrofi*, Città Nuova

4 Per ogni nome comune scrivo un nome proprio.

festività ....
continente ....
squadra ....
fiume ....
personaggio ....
monte ....

Il nome: genere e numero

1 Volgo al plurale i seguenti nomi.

medico	abaco	augurio ....
fruscio	chirurgo	orologio ....
addio	uomo	uovo ....
bue	luccichio	traffico ....
sindaco	ottico	paio ....
antologia	olio	dialogo ....

CONSIGLIO!
Se sei incerto, aiutati con il dizionario!

2 Volgo al singolare i seguenti nomi.

camicie	ronzii	miglia ....
camici	scie	miagolii ....
superfici	magie	dee ....
dei	prìncipi	princìpi ....
templi	effigi	asparagi ....

ATTENZIONE!

Ci sono alcuni nomi che hanno una sola forma per il maschile e per il femminile:
il cantante la cantante

Molti nomi di animali hanno un solo genere: bisogna dunque aggiungere maschio o femmina: **volpe maschio volpe femmina**

3 Cerchio i nomi di animali che hanno un solo genere, ai quali è necessario aggiungere "maschio" o "femmina" per distinguerli.

volpe • coniglio • leone • giraffa • cane • pantera • gatto • gazzella • piccione • cavallo • canguro

4 Scrivo nel riquadro se il nome sottolineato è di genere maschile M o femminile F. Cerchio le parole della frase che mi hanno permesso di individuare il genere.

☐ Il nostro preside è molto severo.
☐ Quella dentista è giovane e brava.
☐ Io sono l'unica nipote di mio zio.
☐ Il sindaco è mio parente.

UN SALTO IN PIÙ

Sul quaderno formo il plurale di questi nomi. Che cosa noto?
farmacista • atleta

ORA SO...
Volgere nomi al plurale e al singolare; riconoscere particolarità relative al genere.

Le particolarità del numero: nomi difettivi, sovrabbondanti, invariabili

Alcuni nomi hanno solo il singolare o il plurale: si dicono difettivi. il latte le forbici

Alcuni nomi hanno due forme di plurale: una maschile e una femminile, in genere con significati diversi: si dicono sovrabbondanti. i bracci le braccia

Alcuni nomi hanno una sola forma per il singolare e per il plurale: si dicono invariabili. la moto le moto

RICORDA!

1 Sottolineo i nomi difettivi, poi li inserisco al posto giusto nella tabella.

sangue • giochi • strade • festa • occhiali • pantaloni • nozze • burro • dita • fame
miele • corse • grandine • piede • pepe • mirtillo • torre • sete
congratulazioni • stoviglie • finestre • ferie

Hanno solo il singolare	Hanno solo il plurale
....	....
....	....
....	....
....	....

2 Volgo al plurale e sottolineo i nomi invariabili.

la penna ....
il cinema ....
l'album ....
l'inganno ....
il pesce ....
la foto ....
la virtù ....
il film ....
l'analisi ....
la serie ....
la spiaggia ....
l'angolo ....
la radio ....
la goccia ....
la metropoli ....

3 Cancello il nome che non è corretto. Poi per ciascuno dei nomi cancellati scrivo una frase sul quaderno.

- I nemici erano sotto **i muri / le mura** della città.
- Mi ha fatto capire a **gesti / gesta** che non poteva parlare.
- Al mio cane piace rosicchiare **gli ossi / le ossa** del pollo.
- **Tutti i membri / tutte le membra** del gruppo devono esprimere il loro parere.
- **Sui cigli / sulle ciglia** dei fossi c'erano dei piccoli fiori gialli.

ORA SO...
Riconoscere e usare nomi difettivi, sovrabbondanti e invariabili.

Nomi primitivi, derivati e alterati

I nomi primitivi non derivano da altri nomi.

I nomi derivati derivano da nomi primitivi con l'aggiunta di prefissi o suffissi e hanno un significato diverso dal nome da cui derivano.

I nomi alterati si ottengono da un nome base con l'aggiunta di un suffisso che non cambia il significato del nome, ma gli dà una particolare sfumatura di significato.

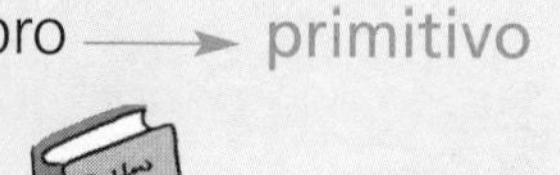

libro → primitivo libreria → derivato librone → alterato

1 **Per ciascuno dei seguenti nomi derivati, scrivo il nome primitivo da cui deriva.**

insalatiera ....

accampamento ....

occhiata ....

cicaleccio ....

osteria ....

limonaia ....

collana ....

maniglia ....

fratellanza ....

argenteria ....

2 **Spiego il significato dei seguenti nomi alterati e cerchio il suffisso. Poi li inserisco nella tabella. Osservo l'esempio.**

strad(accia) brutta strada

cameretta ....

vestitino ....

orticello ....

mostriciattolo ....

appartamentino ....

cagnaccio ....

coltellino ....

nasone ....

finestrona ....

porticciolo ....

zampaccia ....

vasetto ....

patatina ....

bottiglietta ....

omone ....

CONSIGLIO!

Fai attenzione, i suffissi -ino -etto -uccio trasmettono a seconda dei casi l'idea di piccolo, grazioso, o entrambe. Possono dare origine dunque a diminutivi o a vezzeggiativi.

accrescitivo	diminutivo	vezzeggiativo	dispregiativo
....	....	....	....
....	....	....	....
....	....	....	....
....	....	....	....
....	....	....	....
....	....	....	....

3 Sostituisco alle seguenti espressioni un alterato adatto.

pioggia leggera ....

vento leggero e piacevole ....

piede grosso ....

voce sgraziata ....

vino leggero ....

ragazzo maleducato ....

roba inutile e brutta ....

bocca piccola e graziosa ....

piccolo cane ....

taglio piccolo e superficiale ....

brutto colpo ....

piccola poltrona ....

piccolo asino ....

naso piccolo e grazioso ....

4 Sottolineo in rosso i nomi primitivi, in verde i derivati, in blu gli alterati.

pastorello • manubrio • ombrello • mareggiata • nevicata • nonnina • avvoltoio • ottone
orsacchiotto • timone • ventata • semino • gabbietta • ghiacciaia • braciere • bracciale
bicchiere • rubinetto • fazzoletto • rotaia • piccione • vermiciattolo • risaia • muretto

5 Per ciascuno di questi nomi scrivo un nome derivato D e uno alterato A.

scarpa D .... A ....

giardino D .... A ....

maglia D .... A ....

fiore D .... A ....

cavallo D .... A ....

pesce D .... A ....

dente D .... A ....

occhio D .... A ....

6 Cancello con una ✗ i falsi alterati.

girino	gazzella	posticino	botticella	visone	zampogna
torrone	matitina	biscottino	figuraccia	pulcino	collina
librone	focaccia	lampone	serataccia	postino	colletto
ladruncolo	foruncolo	montone	cartellone	foglietto	rubinetto

7 Solo uno fra i nomi nel riquadro è un alterato. Lo cerchio e scrivo sotto la parola base.

aquilotto aquilone	cappellino cappellano	merletto merluzzo
....	....	....

ORA SO...

Riconoscere e distinguere i nomi primitivi, i nomi derivati e i nomi alterati.

Nomi collettivi e nomi composti

FINISCI TU!

I nomi composti sono formati dall'unione di due parole, ciascuna con un suo significato. apri + ... = ...

I nomi collettivi, anche al singolare, indicano un insieme di persone, animali, cose della stessa specie. una pineta: un insieme di ....

1 Sostituisco alle seguenti espressioni il nome collettivo corrispondente. Scelgo fra:

corteo • flotta • squadriglia • nugolo • comitiva • nidiata
branco • costellazione • muta • ciurma

un gruppo di pirati = ...
un gruppo di navi = ...
un gruppo di insetti = ...
un gruppo di cani = ...
un insieme di stelle = ...

un gruppo di turisti = ...
un gruppo di aerei = ...
un gruppo di pulcini = ...
un gruppo di lupi = ...
un gruppo di dimostranti = ...

2 Spiego il significato dei seguenti nomi collettivi.

clientela: insieme di clienti
gregge: ....
equipaggio: ....
pinacoteca: ....
pineta: ....
arcipelago: ....
sciame: ....

3 A partire dalla parola nel riquadro scrivo due nomi composti:

dopo — dopolavoro — ....
auto — .... — ....
terra — .... — ....
lava — .... — ....

4 Separo le due parole che compongono i seguenti nomi e spiego che cosa sono. Poi volgo i nomi al plurale.

Nome composto	Parti da cui è formato	Plurale
autorimessa	auto + rimessa (nome + nome)	autorimesse
caposquadra	....	....
portamonete	....	....
cacciavite	....	....
terracotta	....	....
dopobarba	....	....
biancospino	....	....

CONSIGLIO!
Se sei in difficoltà, aiutati con il dizionario!

ORA SO...
Riconoscere e usare i nomi collettivi e composti.

Articoli e nomi

1 In queste frasi inserisco opportunamente gli articoli determinativi, indeterminativi o partitivi, poi li sottolineo con tre colori diversi.

- Ai giardini ho incontrato .... bambine molto simpatiche.
- .... Monte Bianco è .... monte più alto d'Italia.
- .... sport molto praticato dai bambini della mia classe è .... pallavolo.
- .... pallavolo è .... sport più praticato dai bambini della mia classe.
- In quella pasticceria fanno .... biscotti al cioccolato molto buoni.
- .... casa era avvolta in .... strano silenzio: si udiva solo .... sgocciolare di .... rubinetto e, a intervalli regolari, ... sbattere di .... porta.

2 Sottolineo i nomi astratti.

libertà • caminetto • fratello • fratellanza • chiarore • cielo • silenzio • aria • simpatia
amicizia • astronomia • pianeta • stella • grammatica • perdono

3 Per ciascuno di questi nomi scrivo una frase.

bracci • braccia • cigli • ciglia • muri • mura

....

....

....

....

....

....

4 Sottolineo i nomi composti.

caporale • capostazione • appuntamento • doposcuola • temperamatite • autorimessa
autorità • bisbiglio • pianoforte • stuzzicadenti • tritaghiaccio • spremiagrumi

5 Sottolineo in rosso i nomi primitivi, in blu i derivati, in verde gli alterati.

bocca • boccale • monticello • muretto • muratore • porta • anellino • boccuccia
piumetta • pastificio • barista • camicia • pizzaiolo • scatolone • paperella

6 Per ciascuno di questi nomi scrivo un nome derivato D e uno alterato A.

scuola	gelato	pane
D	D	D ....
A	A	A ....

L'aggettivo qualificativo

L'aggettivo qualificativo si aggiunge al nome per indicarne una qualità. Concorda nel genere e numero con il nome a cui si riferisce.

 Un libro aperto  Dei libri ....

1 **Sottolineo gli aggettivi qualificativi e li collego con una freccia al nome a cui si riferiscono.**

La stanza della cioccolata

Ai loro piedi si estendeva una bellissima valle. Su entrambi i lati c'erano prati verdeggianti, mentre a fondovalle scorreva un ampio fiume marrone. Inoltre, verso la metà del fiume, c'era una formidabile cascata: una roccia scoscesa sul cui bordo l'acqua sembrava arricciarsi e trasformarsi in una lastra compatta che poi si frantumava in un ribollio vorticoso di spuma e schizzi. Sotto la cascata c'era una grande matassa di enormi tubi di vetro. Il diametro di quei tubi era veramente notevole. Ce n'erano almeno una dozzina e risucchiavano l'acqua densa e scura per portarla poi chissà dove. Lungo le sponde del fiume crescevano bellissimi alberi e arbusti – salici piangenti circondati da alti cespugli di rododendri pieni di fiori rosa, rossi e lilla.
– Guardate là! – esclamò il signor Wonka indicando con il suo bastone dal manico d'oro il grande fiume marrone. – È tutta cioccolata!

Adatt. da R. Dahl, *La fabbrica di cioccolato*, Salani

ATTENZIONE!

Talvolta l'aggettivo qualificativo sostituisce il nome nome e diventa aggettivo sostantivato.
Quei signori sono **anziani**. Gli **anziani** hanno molta esperienza.
L'aggettivo sostantivato è sempre preceduto dall'articolo.

2 **Sostituisco le espressioni tra parentesi con aggettivi sostantivati e riscrivo le frasi sul quaderno.**

- (*Le persone avare*) sono spesso egoiste.
- È facile ingannare (*le persone ingenue*).
- (*Le persone giovani*) hanno tanta energia.
- Mi piace (*il colore giallo*).

UN SALTO IN PIÙ

Per ciascuno dei seguenti aggettivi qualificativi scrivo una forma alterata:

dolce dolciastro	amaro	umido ....
giallo	bianco	bello ....

ORA SO...
Riconoscere e usare gli aggettivi qualificativi.

I gradi dell'aggettivo qualificativo

1 Utilizzo i seguenti nomi e aggettivi per scrivere delle frasi con il comparativo. Poi indico se ho usato il comparativo di maggioranza MA, il comparativo di minoranza MI o di uguaglianza U.

- inverno - freddo - primavera .... [ ]
- cristallo - trasparente - vetro .... [ ]
- carta - pesante - legno .... [ ]

2 Sottolineo in rosso i superlativi relativi e in blu i superlativi assoluti.

- Questa minestra è troppo calda.
- Sara è molto simpatica, è la più simpatica delle mie amiche.
- Paolo è il mio fratello più piccolo, Luca il più grande.
- Oussama è un bambino iperattivo.
- Al piano più alto del palazzo c'è un ristorante molto famoso.
- Quello di Lin è il cane più vecchio del quartiere.

CONSIGLIO!
Il superlativo assoluto può esser fatto usando dei prefissi: -ultra, -arci...

3 Sottolineo gli aggettivi qualificativi e scrivo di che grado sono.

- L'estate è la più calda delle stagioni.
  ....
- La Sardegna è meno estesa della Sicilia.
  ....
- Questo bicchiere è più basso di quello.
  ....
- Il tuo zaino è pesante come il mio.
  ....
- Il suo telefono è ultramoderno.
  ....

4 Sostituisco i comparativi e i superlativi regolari con le forme particolari.

- Elena è la mia cugina **più grande** ...., Sara la **più piccola** ....
- Questa torta è **più buona** .... di quella, è **buonissima** ....!
- Hai commesso una **cattivissima** .... azione.
- Io abito al piano **più alto** ...., i miei nonni abitano al piano **più basso** ....
- Il caffè che ho bevuto stamani era **più cattivo** .... di quello di ieri.

5 Scrivo la forma particolare del superlativo assoluto dei seguenti aggettivi, poi per ciascuna scrivo una frase.

acre .... misero .... celebre ....

....

....

....

CONSIGLIO!
Se non conosci il significato, cercalo sul dizionario!

ORA SO...
Distinguere e usare i gradi dell'aggettivo qualificativo.

Aggettivi e pronomi possessivi e dimostrativi

Gli aggettivi e pronomi possessivi sono:
mio tuo suo nostro vostro loro proprio altrui

Gli aggettivi e pronomi dimostrativi sono:
questo quello codesto stesso medesimo

ciò = questa/quella cosa è pronome dimostrativo invariabile

1 **Sottolineo in rosso gli aggettivi possessivi e in blu i pronomi possessivi.**

- Al cinema ho incontrato tua sorella insieme alla mia.
- Bisogna rispettare le cose altrui come se fossero nostre.
- Fa' come se fossi a casa tua.
- Ognuno prenda il proprio libro.
- Ne ha combinata un'altra delle sue!
- Chi desidera l'altrui, perde il proprio.
- Il vostro giardino è più grande del mio.
- Io manterrò la mia, se tu manterrai la tua promessa.
- Il mio treno è già arrivato, il loro no.

2 **Completo con un possessivo adatto.**

- Ognuno prenda le .... cose.
- Non curiosare fra le cose ....
- Appena entrano in classe i bambini salutano le .... insegnanti.
- Le talpe dormivano nelle .... tane.
- Ognuno ha pagato di tasca ....
- Marco e Lucia ci hanno spiegato con calma il .... punto di vista.

3 **Completo con un dimostrativo adatto, poi indico se è aggettivo** A **o pronome** P.

- Ho fatto .... ☐ che potevo, ma non sono riuscita ad arrivare in tempo.
- In .... ☐ momento non posso risponderti.
- .... ☐ strada non è la .... ☐ che abbiamo fatto all'andata.
- .... ☐ matita non scrive, passami .... ☐ che è sulla cattedra.
- .... ☐ proprio non me lo dovevi dire!
- Ecco .... ☐ che sono riuscito a scrivere.
- .... ☐ bambini lì sono gli .... ☐ che abbiamo incontrato ieri.
- .... ☐ sono mie, ... ☐ matite invece sono sue.

4 **Scrivo sul quaderno due frasi per ogni dimostrativo o possessivo, usandolo una volta come aggettivo e una come pronome.**

proprio • questo

ORA SO...

Riconoscere e usare aggettivi e pronomi possessivi e dimostrativi.

Aggettivi e pronomi indefiniti

Sono aggettivi e pronomi indefiniti:
alcuno ciascuno nessuno tanto poco troppo parecchio molto tutto quanto altro alquanto certo

Sono solo aggettivi indefiniti: **ogni qualche qualsiasi qualunque**

Sono solo pronomi indefiniti: **qualcuno ognuno chiunque qualcosa niente nulla chicchessia**

1 **Completo con gli indefiniti adatti, poi indico se è aggettivo A o pronome P.**

- Puoi chiederlo a .... ☐. Vedrai che .... ☐ ti daranno la .... ☐ risposta.
- Non mi hai dato .... ☐ suggerimento.
- .... ☐ le sere la mamma prende una tisana per dormire.
- Mancano .... ☐ giorni all'inizio delle vacanze.
- .... ☐ volevano parlare: .... ☐ aveva .... ☐ da dire.
- .... ☐ ha il diritto di criticarti!
- Non ho capito ☐ .... !
- .... ☐ dei miei compagni possiedono un cane.
- Non ho fame: ho mangiato ☐ .... pasta a pranzo.
- Il problema era difficile: .... ☐ bambini sono riusciti a risolverlo.

2 **Cerchio di blu gli aggettivi indefiniti e di rosso i pronomi indefiniti.**

- Ogni volta che viene a trovarmi, la nonna mi porta qualche dolcetto.
- Molti bambini della mia classe sono figli unici, alcuni hanno un fratello o una sorella, pochi ne hanno più di uno.
- Lucia ti ha chiesto qualcosa di me? Sono parecchi giorni che non la sento.
- Non ho altro da aggiungere. Adesso potete farmi voi qualche domanda.
- Chiunque si affacciasse al finestrino non riusciva a vedere niente: c'era troppa nebbia.

3 **Scrivo sul quaderno due frasi per ogni indefinito, usandolo una volta come aggettivo e una come pronome.**

nessuno • ciascuno

Sul quaderno scrivo 3 frasi utilizzando *certo*, una volta come aggettivo qualificativo, una volta come aggettivo indefinito, una volta come avverbio.

I numerali, gli interrogativi e gli esclamativi

RICORDA!

I numerali cardinali indicano una quantità: **due-otto-nove**...
I numerali ordinali indicano il posto occupato in un ordine, in una serie: **primo, secondo**...
Sono numerali anche quelle espressioni che indicano una o più parti di un tutto: **un terzo, un quarto**....; **metà, mezzo**... o la distribuzione di una quantità: **a due a due, duplice**....

Sono aggettivi o pronomi interrogativi ed esclamativi: **che, quale, quali, quanto, quanta, quanti**
Sono solo pronomi interrogativi ed esclamativi: **chi-che cosa**

1 **Sottolineo i numerali in queste frasi.**

- Per l'ottantesimo compleanno del nonno abbiamo fatto una grande festa con più di cinquanta invitati.
- Devi presentare il documento in triplice copia.
- Camminiamo in fila a due a due.
- È la prima volta che ritarda; l'aspetto da più di mezz'ora.
- Alla mia seconda gara di nuoto sono arrivato terzo su dieci concorrenti.

ATTENZIONE!

I numerali ordinali si possono scrivere, oltre che in lettere, in cifre arabe con un piccolo zero all'esponente (1°-2°-3°) o in cifre romane senza esponente (I-II-III).

Sono arrivato 3° alla gara di nuoto. **Luigi XIV era chiamato Re Sole.**

2 **Completo con un aggettivo numerale. Poi sottolineo in rosso i cardinali e in blu gli ordinali.**

- Siamo nel .... quadrimestre di scuola.
- In una settimana ci sono .... giorni.
- Siamo nel .... secolo.
- E l'.............................. volta che te lo dico!
- Novembre ha .... giorni.
- Io frequento la classe ....

3 **Completo con interrogativi o esclamativi, li sottolineo con colori diversi e indico se sono pronomi** P **o aggettivi** A.

- .... ☐ soldi hai speso!
- .... ☐ bel panorama!
- .... ☐ ha bussato?
- .... ☐ vuoi? .... ☐ ti ha mandato?
- .... ☐ film vuoi vedere?
- .... ☐ vestito indosserai?

4 **Scrivo sul quaderno quattro frasi utilizzando che nei seguenti modi:**

1. aggettivo interrogativo
2. pronome interrogativo
3. aggettivo esclamativo
4. pronome esclamativo

ORA SO...

Riconoscere e usare i numerali; distinguere e usare aggettivi e pronomi interrogativi ed esclamativi.

I pronomi personali (1)

I pronomi personali		
NUMERO	SOGGETTO	COMPLEMENTO
1ª persona singolare 2ª persona singolare 3ª persona singolare	io tu lui, egli, esso lei, essa	me-mi te-ti lui-lo-gli-si-sé-ne lei-la-le-si-sé-ne
1ª persona plurale 2ª persona plurale 3ª persona plurale	noi voi loro, essi loro, esse	noi-ce-ci voi-ve-vi loro-li-si-sé-ne loro-le-si-sé-ne

RICORDA!

1 **Sottolineo i** pronomi personali **e li collego al nome a cui si riferiscono.**

- Chiara non riesce a risolvere il problema. La puoi aiutare?
- Ho telefonato a Luca e gli ho chiesto i compiti.
- Abbiamo trovato un bel sasso colorato e lo abbiamo raccolto.
- Ho incontrato la zia e le ho chiesto come sta lo zio.
- I tuoi compagni sono molto generosi. Non puoi lamentarti di loro.

2 **Cerchio il** pronome personale **adatto.**

- È il compleanno del nonno: **li/gli** ho regalato un cappello.
- Ho incontrato Mia e **ci/le** ho detto tutto.
- Non trovo i guanti. **Li/Gli** hai visti?
- **Te/Tu** sei il mio migliore amico.
- **Te/Tu** e **me/io** andiamo molto d'accordo.
- Ho preparato una torta per Lucia: **gli/le** voglio fare una sorpresa.
- Telefonai a Paolo e **gli/li** chiesi di te.
- Non l'ho più vista, ma **gli/le** ho scritto.
- I nonni stanno partendo, **li/gli** hai salutati?
- Ho fatto un dolce: **ne/lo** vuoi un po'?

3 **Cerchio** la, lo, gli, le **di rosso se sono pronomi, di blu se sono articoli.**

- Gli ho detto di portarmi gli esercizi che avete fatto stamani a scuola.
- Le cuginette di Lea le sono molto affezionate e le vogliono tanto bene.
- La nonna gli ha chiesto se le faceva vedere lo zaino che gli ha regalato la zia.
- Più tardi vado da Asia e le chiedo se può prestarmi le sue racchette.
- Se vedi lo zio, salutalo.
- Ho fatto la spesa per la nonna: le ho comprato il pane, le mele e le carote.
- Scrivo la cartolina e la spedisco ai miei amici.
- La valigia mettila nell'armadio, lo zaino sopra la sedia.
- Non gli ho chiesto se la vuole vedere.

Sono articoli se precedono un nome, sono pronomi se precedono un verbo o sono uniti a esso.

ORA SO...

Riconoscere e usare i pronomi personali.

I pronomi personali (2)

I pronomi personali con funzione di complemento oggetto o di complemento di termine hanno una forma forte e una debole.
Le forme deboli (**mi-ti-ci-si-lo-la-vi-li-le-gli**) spesso si uniscono al verbo che le precede.

(a) me → forma forte — Rispondi **a me**, per favore!

mi → forma debole — Rispondi**mi**, per favore!

1 Sostituisco le forme deboli alle forme forti dei pronomi sottolineati.

- Vorrei avere te come sorella. *Vorrei averti come sorella.*
- Ho detto a lui di chiudere le finestre. ....
- A noi piace giocare con il computer. ....
- Ricorda a lei di venire stasera. ....
- Non ho mai detto a voi di smettere. ....
- Porta lui con te a casa mia. ....
- A voi ho scritto una lunga lettera. ....

I pronomi di forma debole mi-ti-ci-si-vi si chiamano anche particelle pronominali.
Davanti a lo-la-li-le-ne diventano me-te-ce-se-ve: **te lo regalo**.

2 Completo con le seguenti coppie di pronomi.
Le unisco al verbo o metto l'apostrofo se occorre.

me la • te la • ve li • ce li • me lo • te lo • ve lo

- Questo fiore .... ha regalato lui.
- Quella gomma è mia, per favore restituisci.......... .
- Quante volte .... devo ripetere?
- Non devi prender.......... con me! .... avevo detto di aspettarmi!
- Non abbiamo i quaderni: .... siamo dimenticati a casa.
- State tranquilli, ... portiamo noi.

3 Volgo al plurale.

- Mi presti due euro?
  Ci prestate due euro?
- Chiamala e dille di venire.
  ....
- Te lo dirò domani.
  ....
- Mi ha detto di restituirglielo.
  ....
- Prendilo e portalo via.
  ....

ORA SO...
Riconoscere e usare i pronomi personali.

I pronomi relativi (1)

RICORDA!

I pronomi relativi sostituiscono un nome e mettono in relazione due frasi. Sono:

	Variabili		Invariabili
	Maschile	Femminile	
Singolare	**il quale**	**la quale**	**che** (può essere sostituito da *il quale, la quale*...)
Plurale	**i quali**	**le quali**	**chi** (può essere sostituito da *colui che, il quale, colei che, la quale, coloro che, i quali*...)
			cui (è preceduto da preposizioni: *a cui, di cui*...)

1 Sottolineo il pronome relativo e cerchio il nome a cui si riferisce.

- Ho visto il film che mi avevi consigliato.
- Ecco il ragazzo di cui ti ho parlato.
- La città in cui abito è sul mare.
- Ecco la penna con la quale scrivo.
- Hai comprato la moto che volevi?
- Prendi il libro che è sul banco.

2 Sottolineo le parole che si ripetono nelle due frasi, poi riscrivo le frasi collegandole con un pronome relativo adatto.

- Matilde è una brava nuotatrice. Matilde ha vinto le gare regionali.
  Matilde, che è una brava nuotatrice, ha vinto le gare regionali.
- La nonna è un'insegnante in pensione. La nonna mi aiuta a fare i compiti.
  ....
- Io ho un gattino. Con il gattino mi diverto a giocare.
  ....
- Il vicino sta cercando il suo cane. Il suo cane è scappato ieri sera.
  ....
- Voglio telefonare ai miei compagni. Ai miei compagni ho mandato l'invito.
  ....
- Questo è il mio cugino. Del mio cugino ti ho parlato.
  ....
- Mi sono affacciata alla finestra. Dalla finestra si vede il mare.
  ....

3 Sostituisco cui, chi e che con il quale, la quale... colui-colei-coloro che.

- Si alzi **chi** .... vuol parlare.
- Ecco il pupazzo **a cui** .... sono più affezionato.
- Questa è la porta **da cui** .... si va in giardino.
- Questi sono i fiori **fra cui** .... ho scelto quelli per te.
- È bello giocare con **chi** .... sa accettare la sconfitta.
- Non raccontare a nessuno le cose **di cui** .... ti ho parlato.

ORA SO...
Riconoscere e usare i pronomi relativi.

I pronomi relativi (2)

1 Completo le frasi con un pronome relativo adatto.

CONSIGLIO!

Fai attenzione all'uso delle preposizioni!

- Il macellaio .... si serve mia madre si chiama Giovanni.
- Il colore .... preferisco è il rosso.
- È una questione riservata .... non posso parlarti.
- Beatrice e Carlo, ... nonni abitano sopra di me, sono due gemelli.
- Mi piace leggere i libri .... parlano di avventure.
- Ho visto tua zia .... mi ha detto del piccolo incidente .... ti è capitato.
- Questa è la piscina .... mi alleno per le gare di nuoto.
- Dovrai spiegarmi il motivo .... non sei venuta.
- La città .... provengo è Palermo.

2 Trasformo le due frasi in un'unica frase collegandole una volta con cui e una volta con quale.

- Ti ho portato il videogioco. Del videogioco ti avevo parlato.
  Ti ho portato il videogioco di cui (del quale) ti avevo parlato.
- Nel giardino della scuola c'è un albero. Sull'albero ha fatto il nido un passerotto.
  ....
- È una brava maestra. Alla maestra tutti i bambini vogliono bene.
  ....
- La nonna mi ha regalato dei pattini. Con i pattini domani andrò a correre.
  ....
- Quest'anno frequento una nuova scuola. Nella scuola mi trovo molto bene.
  ....
- Ecco le foto degli amici. Dagli amici abbiamo trascorso le vacanze natalizie.
  ....

3 Completo con i pronomi relativi adatti.

Stefano è un amico...
- .... mi fido.
- .... mi confido.
- .... farei qualunque cosa.

Io ho un gatto...
- .... ha il pelo grigio.
- .... piace la carne.
- .... gioco.

Io abito in una città...
- .... ha un milione di abitanti.
- .... c'è molto verde.
- .... hanno scritto molti libri.

Questo è un libro...
- .... si è parlato molto.
- .... voglio leggere.
- .... hanno tratto un film.

ORA SO...

Usare i pronomi relativi.

Le funzioni di che e chi

CHE può avere quattro funzioni:
- Pronome relativo: La penna che mi hai prestato non scrive.
- Pronome interrogativo-esclamativo: Che fai? Che bello!
- Aggettivo interrogativo-esclamativo: Che ore sono? Che spettacolo!
- Congiunzione: Spero che tu finisca presto.

CHI può avere due funzioni:
- Pronome relativo: Venga chi vuole venire.
- Pronome interrogativo-esclamativo: Chi ha bussato? Chi si rivede!

1 **Sottolineo in rosso i che pronome relativo e in blu i che congiunzione.**

- È uscito il CD che aspettavo da tempo.
- La mamma vuole che io vada a letto presto la sera.
- La mamma, che è andata al supermercato, non rientrerà prima delle otto.
- Vorrei che i bambini che hanno già finito la verifica stessero in silenzio.
- Speravo che mi telefonasse, ma non l'ho ancora sentita.
- Ho quasi finito il libro che mi hai prestato; mi è piaciuto molto.

CONSIGLIO!

Prova a sostituire che con il quale, la quale, i quali, le quali...: se è possibile, allora è un pronome relativo.

2 **Distinguo i vari usi di che sottolineando così: blu ➝ congiunzione, rosso ➝ pronome relativo, verde ➝ pronome o aggettivo interrogativo/esclamativo.**

- Che bello zaino! È il regalo più bello che abbia ricevuto per questo compleanno.
- Penso che Mario non venga a giocare: mi ha detto che aveva il raffreddore.
- Che fai domenica? Hai voglia di venire al cinema con me a vedere il film di fantascienza che è appena uscito?
- Che magnifico panorama! Non credevo che da quassù si vedesse il mare.
- Questa è la canzone che preferisco.

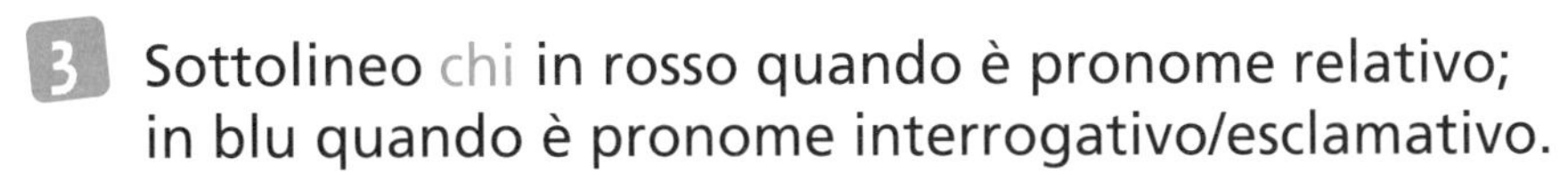

3 **Sottolineo chi in rosso quando è pronome relativo; in blu quando è pronome interrogativo/esclamativo.**

- Risponderò a chi me lo chiede.
- Chi è stato?
- Chi l'avrebbe mai detto!
- Non ho visto chi è entrato.
- Chi ha capito, me lo spieghi.
- Mi chiedevo chi fosse.

Anche *dove* può essere un pronome relativo quando significa *nel quale, in cui, nei quali*. Lo sottolineo quando ha questa funzione:

- Dove sei andata?
- La città dove vivo è Roma.
- Dimmi dove sei.
- Le api vivono negli alveari dove producono il miele.

ORA SO...

Distinguere le diverse funzioni di che e di chi.

STOP!

Aggettivi e pronomi

1 Sottolineo gli aggettivi qualificativi e scrivo di quale grado sono.

- Questa lampada è luminosa come quella. ....
- Questa è la più buona pizza che abbia mai mangiato. ....
- Ti mando un bacio grande grande. ....
- In inverno il giorno è meno lungo della notte. ....
- Le tue scarpe sono più piccole delle mie. ....

2 Cerchio tutti i pronomi personali presenti in queste frasi.

- Dille che le telefonerò domani.
- Non mi piace che tu non mi ascolti.
- Chi vuole la mela se la può prendere.
- Gli ha prestato la sua penna, ma lui si è dimenticato di restituirgliela.
- Ho lasciato le chiavi da te: me le puoi portare domani a scuola?
- Io non gli ho detto che il medico ti ha consigliato di portare gli occhiali.

3 Sottolineo gli aggettivi indefiniti e cerchio i pronomi.

- Alcuni biscotti mi piacciono, altri no.
- Non ho altro da dirti. Sai già tutto.
- Sono parecchi giorni che piove.
- Molti di loro erano partiti.
- Non disse nulla, ma tutti quelli che erano presenti capirono.
- Chiunque può riuscirci con poca fatica.
- In tutti noi c'è qualche difetto.

4 Inserisco un dimostrativo e indico se è aggettivo [A] o pronome [P] :

- Attento a .... [ ] che dici.
- Ho fatto la .... [ ] strada di ieri.
- .... [ ] lo dici tu; io non ci credo.
- .... [ ] scheda è mia, ... [ ] è tua.
- Vorrei assaggiare [ ] .... torta.
- Hai commesso lo [ ] .... errore.
- Ti ho detto tutto .... [ ] che sapevo.

5 Sottolineo i pronomi relativi.

Non credo che il nonno venderà quella casa: è quella in cui ha vissuto tutta la vita, che ha fatto con le sue mani, per la quale ha fatto tanti sacrifici. Chi lo conosce sa che non è possibile; tutti coloro che lo dicono non lo conoscono.

6 Sottolineo tutti gli aggettivi e cerchio i pronomi presenti in questo testo. Poi li trascrivo sul quaderno e specifico di quale aggettivo o pronome si tratta.

La fragola, cioè il frutto di una pianta che si chiama fragola, è rossa, profumata, deliziosa. Chiunque l'abbia mangiata lo sa. La fragola è rossa per essere ben visibile nel sottobosco ombroso dove cresce; è deliziosa perché così chi decide di assaggiarla si ricordi bene, la prossima volta, di mangiare un frutto con quella forma, colore e profumo.

Le preposizioni

Le preposizioni semplici sono **di, a, da, in, con, su, per, tra, fra**.
Alcune di queste possono unirsi agli articoli e formare le preposizioni articolate:
di + lo = dello   in + la = ...   in + i = ...   su + lo = ...   ecc.

1 **Completo con le preposizioni adatte, poi cerchio in rosso le preposizioni semplici e in blu le preposizioni articolate.**

L'orchessa Iolanda

.... altra parte .... mare e .... montagne vive un'orchessa che ha la bocca più grande .... volante .... un'automobile e centoquarantatré denti, quasi tutti verdi. La sua cinghia .... pantaloni è fatta .... la pelle .... piedi .... sedici bambini venuti .... chissà dove e mai più tornati .... casa. L'orchessa si chiama Iolanda ed è bene sapere che se .... caso batte i pugni .... tavola polverizza .... un sol colpo piatti, posate e polpette. .... paese .... Iolanda non ci sono gli impiegati .... poste, i maestri, i vigili urbani. Gli orchi preferiscono fare i guardiani .... bambini rapiti e .... ingrasso.

Adatt. da A. Molesini, *Nonna Vudù e la congiura delle zie*, Mondadori

2 **Completo con le preposizioni adatte, poi cerchio in rosso le preposizioni semplici e in blu le preposizioni articolate.**

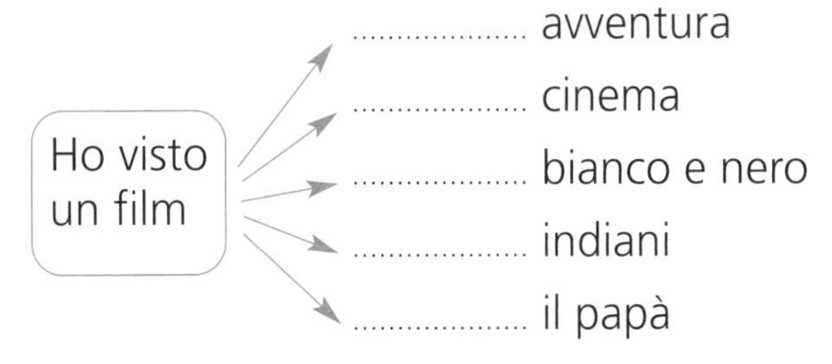

La mamma è andata
.... lavoro
.... centro
.... piedi
.... la collega
.... tutta la settimana

ATTENZIONE!

Con funzione di preposizione possono essere usati anche avverbi o aggettivi. Sono le preposizioni improprie: **dopo, prima, lontano, vicino, dentro, davanti, eccetto, lungo**....

3 **Sottolineo in rosso le preposizioni improprie e in blu gli avverbi.**

- Vieni più vicino.
- Ti chiamo dopo.
- Metti la sedia davanti alla scrivania.
- Arriverò dopo cena.
- Bisogna prima sbattere le uova.
- Mi è caduta la penna sotto il banco.

4 **Scrivo due frasi utilizzando il termine *lungo* una volta come aggettivo e una come preposizione impropria.**

ORA SO...
Riconoscere e usare le preposizioni.

Le congiunzioni

Le congiunzioni collegano (congiungono) parole o frasi. Sono congiunzioni: **e, anche, o, ma, perciò, perché, tuttavia, però, anzi, dunque, inoltre, cioè, infatti, quando, mentre, appena, finché, se, benché, nonostante che, sebbene, purché, sia... sia, né... né, neppure, invece, allora...**

1 Collego le frasi della cornice di sinistra con quelle della cornice di destra utilizzando le congiunzioni della colonna centrale.

Non mi sento bene	perciò	è scoppiato il temporale
Ho dormito molto	eppure	era ancora in casa.
Ti telefono	oppure	lei non mi ha visto.
Ero per strada	quando	non esco.
L'ho incontrata	ma	sono ancora stanco.
Credevo fosse uscito	invece	ti mando un messaggio.

2 Completo le frasi con una congiunzione adatta. Scelgo fra le seguenti.

a meno che • nonostante che • prima che • perché • quando • perciò • però finché • neppure • neanche • né • tuttavia.

- La nonna si è ammalata .... era in vacanza.
- Domani è la festa del Santo Patrono .... non c'è scuola.
- Camminava velocemente .... era in ritardo.
- Continuava a chiacchierare .... la maestra l'avesse richiamato più di una volta.
- Continuerò a cercarla .... non la troverò.
- Devo finire i compiti .... la mamma rientri dal lavoro.
- Il cielo è nuvoloso .... non piove.

3 Completo con una frase che si colleghi alla prima con la congiunzione evidenziata.

- Luisa è caduta dall'altalena **e** ....
- Luisa è caduta dall'altalena **ma** ....
- La lettera non è arrivata **benché** ....
- La lettera non è arrivata **perché** ....
- Sono arrivata tardi a scuola **perciò** ....
- Sono arrivata tardi a scuola **però** ....
- I due bambini hanno litigato **finché** ....
- I due bambini hanno litigato **anche se** ....

ORA SO...

Riconoscere e usare le congiunzioni.

L'avverbio

L'avverbio modifica il significato:

di un verbo	Camminava lentamente.
di un aggettivo	Sono molto stanco.
di un altro avverbio	Lavori troppo poco.

Le locuzioni avverbiali sono gruppi di parole che hanno la stessa funzione dell'avverbio: Lavoravano in silenzio.

1 **In queste frasi sottolineo gli avverbi, poi li inserisco nella tabella.**

- Forse domani andrò al mare.
- Sì, vengo volentieri alla tua festa.
- Quando arrivano i nonni? Oggi o domani?
- Vieni qui. Ti voglio avere vicino.
- Spesso vado a mangiare la pizza.
- Sei stato molto gentile.
- Io abito vicino alla scuola.
- Adesso non ti posso ascoltare.
- Io sto bene.Tu come stai?
- Ho camminato molto.
- Guarda laggiù.
- È arrivato molto presto.

modo	quantità	tempo	luogo	affermazione, negazione, dubbio	interrogativi
....	....	....	....	....	....
....	....	....	....	....	....
....	....	....	....	....	....
....	....	....	....	....	....
....	....	....	....	....	....
....	....	....	....	....	....

2 **Sottolineo in rosso gli avverbi, in blu le locuzioni avverbiali.**

- Te lo dico a malincuore.
- Squillava ripetutamente il telefono.
- Hai recitato bene la tua parte.
- Verrò di sicuro, aspettami!
- Ieri, in fretta e furia, sono partiti.
- Sono abbastanza contento del risultato.
- A poco a poco la neve si sciolse.
- Te l'assicuro, non l'ho fatto apposta.

3 **Sostituisco con un avverbio le locuzioni avverbiali sottolineate.**

- Scappò a gambe levate (....).
- Camminava a fatica (....).
- All'improvviso (................................) scomparve.
- Verrò di sicuro (....).
- Si alzò di buon'ora (....).
- In men che non si dica (....) arrivò a casa.
- Mangiava di malavoglia (....).

ORA SO...

Classificare e usare gli avverbi e le locuzioni avverbiali.

Preposizioni, congiunzioni, avverbi

1 Inserisco le congiunzioni adatte.

- Era ormai tardi .... decisi di tornare a casa.
- Mi sono bagnata .... non avevo l'ombrello.
- Le regalo questo CD .... so .... le piace la musica rock.
- .... non hai capito, chiedi alla maestra .... te lo spieghi di nuovo.
- Non uscirò .... non avrà smesso di piovere.
- Il bus andava veloce .... ci fosse molta nebbia.

2 Sottolineo in rosso le congiunzioni e in blu le preposizioni.

Un vecchio leone, troppo debole per cacciare, pensò che avrebbe potuto procurarsi da mangiare con l'astuzia. Così si cercò una grotta e vi si sdraiò, fingendosi malato. Ogni volta che un animale andava a trovarlo, il leone lo acchiappava e se lo mangiava. Aveva già catturato molte prede, ma un giorno una volpe astutissima passò da quelle parti e capì il suo trucco. La volpe si avvicinò alla grotta mantenendo però una certa distanza e si informò sulla salute del leone.
– Oh, sto proprio molto male – si lamentò il leone. – Ma accomodati dentro, ti prego.
– Lo farei con gran piacere – replicò la volpe – se non avessi visto tante orme di animali che arrivano fino alla tua grotta ma non tornano più indietro.

Esopo, *Favole*, Emme Edizioni

3 Sottolineo le parole in neretto una volta se sono avverbi, due volte se sono aggettivi.

- Stai correndo **troppo**.
- Hai messo **troppo** sale nella pasta.
- Il bagliore **chiaro** della luna illuminava la strada.
- Non ci vedo **chiaro** in questa faccenda.
- Ci vuole **molto** coraggio.
- Sono **molto** felice.
- Ci ho messo **parecchio** impegno e ci sono riuscita.
- Ho speso **parecchi** soldi.

4 Sottolineo gli avverbi e cerchio le locuzioni avverbiali.

Luca e Gianni abitano vicino e giocano spesso insieme. Di solito si incontrano nel pomeriggio nel campetto da calcio. Si divertono molto a calciare il pallone in rete. Da qualche tempo si uniscono a loro anche altri bambini. Forse riusciranno a formare una vera e propria squadra.

5 Scrivo due frasi per ogni vocabolo usandolo una volta come preposizione impropria e una volta come avverbio.

vicino • dopo

Il verbo: modo indicativo

Si dicono regolari i verbi che mantengono invariata la radice e cambiano la desinenza secondo le regole della coniugazione: torn-are, torn-ai, torn-ato
Si dicono irregolari i verbi che nella coniugazione cambiano anche la radice: and-are, vad-o, va-i, and-iamo.

1 In questi verbi distinguo la radice R dalla desinenza D. Scrivo l'infinito e indico se il verbo è regolare o irregolare.

- guardasti → R guard- / D -asti

  da guard-are → *regolare*

- odono → R .... / D ....

  da ....

- seppero → R .... / D ....

  da ....

- partito → R .... / D ....

  da ....

2 Scrivo la prima persona singolare del passato remoto dei seguenti verbi.

- cuocere ....
- piacere ....
- volere ....
- sapere ....
- tacere ....
- fare ....
- crescere ....
- nascere ....
- scuotere ....

3 Completo con il trapassato prossimo o il trapassato remoto del verbo fra parentesi.

- Luca, dopo che (**rileggere**) .... il testo, lo consegnò alla maestra.
- Era molto stanca perché (**lavorare**) .... tutto il giorno.
- Anna aveva fame perche non (**fare**) .... colazione.
- Non appena la mamma (**uscire**) .... il telefono squillò.
- Dopo che .... (**preparare**) la pizza, la mise in forno.

4 Completo usando opportunamente il futuro semplice o il futuro anteriore dei verbi tra parentesi.

- La mamma ha promesso che domani mi (**portare**) .... al Luna Park.
- Dopo che i nonni (**arrivare**) .... (**iniziare**) .... a pranzare.
- Quando (**leggere**) .... la sua e-mail, ti (**dire**) .... il mio parere.
- Non appena (**arrivare**) .... a casa, ti (**telefonare**) ....
- Io non (**essere**) .... tranquilla finché non gli (**parlare**) ....

ORA SO...

Riconoscere e usare verbi regolari e irregolari e i tempi dell'indicativo.

Indicativo e congiuntivo

1 **Cambio queste voci verbali ai tempi del modo indicativo indicati tra parentesi.**

- Noi partiamo ⟶ (pass. remoto) **partimmo**; (trapass. remoto) ....
- Io esco ⟶ (futuro semplice) ....; (futuro anteriore) ....
- Tu fai ⟶ (imperfetto) ....; (trapass. prossimo) ....
- Voi credete ⟶ (pass. prossimo) ....; (trapass. remoto) ....
- Egli mangia ⟶ (imperfetto) ....; (futuro anteriore) ....
- Voi leggete ⟶ (trapass. prossimo) ....; (futuro semplice) ....
- Loro camminano ⟶ (pass. remoto) ....; (imperfetto) ....

2 **Inserisco questi verbi al modo congiuntivo nella tabella.**

che voi ascoltiate • che voi siate partiti • che essi abbiano visto • che tu credessi • che io rida
che noi volessimo • che io fossi guarito • che egli sappia • che loro abbiano creduto
che essi fossero stati • che tu fossi andato • che noi dormiamo • che noi abbiamo capito
che voi voleste • che io cantassi • che lui sia andato

modo congiuntivo			
Presente	Imperfetto	Passato	Trapassato
....	....	....	....
....	....	....	....
....	....	....	....
....	....	....	....
....	....	....	....

3 **Cerchio il verbo giusto.**

- Sarebbe meglio che noi le **crediamo/credessimo**.
- Chiara vuole che io **vada/vado** da lei.
- Se mi **ascoltassi/ascoltavi** lo capiresti.
- Credo che la mamma **è/sia** uscita.

4 **Coniugo i verbi fra parentesi al tempo opportuno del modo congiuntivo e indico quale tempo ho usato.**

- La mamma voleva che io (**uscire**) .... con lei. TEMPO: ....
- Spero che tu (**essere**) .... guarito. TEMPO: ....
- Credevo che i tuoi nonni l'estate scorsa (**venire**) .... in vacanza con te. TEMPO: ....
- Non credo che Pietro ieri (**studiare**) .... TEMPO: ....

ORA SO...
Riconoscere e usare forme verbali al modo indicativo e al modo congiuntivo.

Congiuntivo e condizionale

1 Sottolineo in blu i verbi al congiuntivo e in rosso i verbi al condizionale.

- Se tu mangiassi un po' meno, dimagriresti sicuramente.
- Non avrei creduto che ce la facesse.
- Se non piovesse, andrei al mare.
- Se tu fossi un vero amico, mi aiuteresti.
- Se avessi tempo, verrei più spesso a trovarti.
- Dovresti riposarti di più.
- Giocheresti nella nostra squadra?
- Ti avrei avvertita, se l'avessi saputo.
- Vorrei che mi dicessi la verità.

2 Coniugo i verbi fra parentesi al condizionale presente PR o passato PA.

- (**Andare**) .... ☐ in palestra se non avessi il raffreddore.
- Se ti fossi alzata prima, non (**fare**) .... ☐ tardi a scuola.
- Marco (**venire**) .... ☐ da te se tu lo avessi avvertito.
- Che cosa (**fare**) .... ☐ se me ne andassi?
- Che cosa (**fare**) .... ☐ se me ne fossi andato?
- Chiara, per favore, mi (**prestare**) .... ☐ un foglio?
- Non ti (**chiamare**) .... ☐ se non fosse necessario.
- Non ti (**chiamare**) .... ☐ se non fosse stato necessario.

3 Completo usando il congiuntivo imperfetto e il condizionale presente.
Poi sottolineo di blu i verbi al congiuntivo e di rosso quelli al condizionale.

- Se mi (**ascoltare**) ...., tu (**capire**) .... perché l'ho fatto.
- Se tu (**avere**) .... fame, (**mangiare**) .... anche questa minestra.
- Se Carlo (**dormire**) .... di più, (**essere**) .... meno stanco.
- Noi (**venire**) .... volentieri, se (**essere**) .... meno impegnati.
- Io (**comprare**) .... quel CD se (**avere**) .... i soldi.

4 Riscrivo correggendo gli errori. Analizzo sul quaderno i verbi delle frasi corrette: indico modo e tempo.

- Se potrei le telefonassi io.

....

- Se sarei uscito avrei preso freddo.

....

- Sarei partito se lo avrei saputo.

....

- Se tu faresti questo, sbaglieresti.

....

ORA SO...

Riconoscere e usare forme verbali al modo congiuntivo e al modo condizionale.

Infinito, participio, gerundio

I modi infinito, participio e gerundio si dicono indefiniti perché indicano il tempo del verbo, ma non definiscono la persona.

Correndo, io sono caduto. Correndo, lui è caduto.

1 Sottolineo in rosso i verbi all'infinito presente e in blu i verbi all'infinito passato.

- Oggi a scuola mi viene a prendere la zia.
- Era felice di avere vinto la gara.
- Si scusò di essere arrivato in ritardo.
- Ho appena cominciato a scrivere.
- Il pubblico continuava ad applaudire.
- Smettetela di litigare!
- Sono contento di avere visto quel film.
- È vietato attraversare i binari.

2 Completo con un verbo all'infinito presente PR o passato PA.

- Prima di .... ☐ dalla stanza, ricordati di .... la luce ☐.
- Dopo .... ☐ tutti quegli scalini, ho il fiatone.
- Sei sicuro di .... ☐ la luce?
- Vorrei .... ☐ di chi sono questi guanti.
- Ricordati di .... ☐ il pane. Non te lo ....!
- Credo di .... ☐ la soluzione.

3 Sostituisco con un infinito i nomi tra parentesi.

- (**Lo studio**) .... è importante.
- (**Lo sbaglio**) .... aiuta a imparare.
- (**L'errore**) .... è umano.
- Spesso (**l'attesa**) .... innervosisce.

4 Sostituisco con un gerundio le espressioni tra parentesi.

- (**Mentre scendevo**) .... le scale, sono caduto.
- (**Siccome è**) .... maggiorenne, può firmare lui il documento.
- (**Poiché era chiusa**) .... la farmacia, non ho potuto comprare le medicine.
- (**Poiché avevo sentito**) .... dei rumori, pensai che ci fosse qualcuno.

5 Sottolineo il participio e specifico se è usato come nome N, come aggettivo A o come verbo V.

- Il cantante iniziò il suo concerto. ☐
- Il papà è uscito. ☐
- Abbiamo comprato la pizza. ☐
- È proprio un bravo studente. ☐
- Il chiarore splendente della luna illuminava la strada. ☐
- Ha un bello sguardo sorridente. ☐

ORA SO...

Riconoscere e usare forme verbali al modo infinito, participio e gerundio.

I verbi

1 Completo la tabella.

INFINITO		PARTICIPIO		GERUNDIO	
PRESENTE	PASSATO	PRESENTE	PASSATO	PRESENTE	PASSATO
....	....	....	....	parlando	....
cadere	....	....	....	....	....
....	....	scrivente	....	....	....
....	....	....	....	....	avendo visto
seguire	....	....	....	....	....
....	....	....	perduto	....	....

2 **Coniugo i verbi tra parentesi nel modo e nel tempo adeguato; poi indico sotto il modo e il tempo usato.**

- Dopo che la maestra (**consegnare**) .... i fogli, tutti iniziarono a disegnare.
  MODO: .... TEMPO: ....
- Dopo che (**preparare**) .... lo zaino, andrò a dormire.
  MODO: .... TEMPO: ....
- (**Mangiare**) .... volentieri con voi se non avessi già cenato.
  MODO: .... TEMPO: ....
- Penso che tu non mi (**dire**) .... tutta la verità.
  MODO: .... TEMPO: ....
- Se non lo (**vedere**) .... con i miei occhi non ci avrei creduto.
  MODO: .... TEMPO: ....
- Giovedì prossimo Rita (**andare**) .... in gita a Roma.
  MODO: .... TEMPO: ....

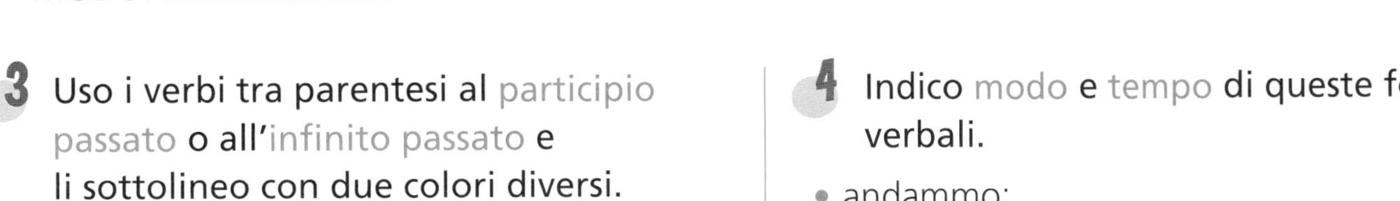

3 **Uso i verbi tra parentesi al participio passato o all'infinito passato e li sottolineo con due colori diversi.**

- Ero contenta di (**scrivere**) .... una bella poesia.
- (**Spedire**) .... la mail, spensi il computer.
- (**Finire**) .... i compiti, uscii a giocare.
- Dopo (**camminare**) .... a lungo, finalmente arrivai al rifugio.

4 **Indico modo e tempo di queste forme verbali.**

- andammo: ....
  ....
- eravamo usciti: ....
  ....
- avrebbero creduto: ....
  ....
- volesse: ....
  ....

Verbi transitivi e intransitivi

RICORDA

Si dicono transitivi i verbi che possono avere un **complemento oggetto (espansione diretta)**:

Paola ammira (*che cosa*?) il paesaggio (*complemento oggetto o espansione diretta*).

Si dicono intransitivi i verbi che non possono avere un complemento oggetto.
Essi introducono solo **espansioni indirette** (le espansioni introdotte da preposizioni):

Mattia cammina (*dove*?) per la strada (*complemento indiretto*).

1 **Sottolineo i verbi e completo le frasi con un'espansione diretta. Quando non è possibile, le completo con un'espansione indiretta. Poi indico con una ✗ se i verbi sono transitivi T o intransitivi I.**

- Mi piace correre .... T I
- Il papà ha comprato .... T I
- Per favore, passami .... T I
- Vorrei conoscere .... T I
- Due pesci rossi nuotavano .... T I
- Il vigile parlava .... T I
- Una scimmietta mangiava .... T I
- Una scimmietta si arrampicava .... T I

CONSIGLIO!

L'espansione diretta risponde alla domanda: chi, che cosa?
Le espansioni indirette sono introdotte da preposizioni.

2 **Sottolineo in blu i verbi transitivi e in rosso i verbi intransitivi.**

- Il postino mi ha consegnato un pacco.
- L'anziana donna camminava lentamente.
- Devo imparare a memoria una poesia.
- Il sole è appena tramontato.
- Un bambino mi ha salutato.
- Io sono nata a Torino.
- La luna splendeva nel cielo.
- Ti presento mio cugino.
- Ho telefonato alla maestra.
- La pioggia cadde in abbondanza.

3 **Sottolineo i verbi transitivi e per ciascuno scrivo una frase con un'espansione diretta.**

abbaiare • curare • attraversare • guidare • ridere • viaggiare • abbassare
cancellare • aprire • passeggiare

....

....

....

....

....

4 **Sottolineo i verbi intransitivi e per ciascuno scrivo una frase con un'espansione indiretta.**

uscire • pulire • sbocciare • ululare • inventare • vincere • piangere • partire • sorridere

....

....

....

....

....

....

ATTENZIONE!

Alcuni verbi possono essere sia transitivi sia intransitivi e modificano a seconda dell'uso il proprio significato.

La temperatura saliva. (funzione intransitiva) **Il bambino saliva le scale.** (funzione transitiva)

5 **In ogni coppia di frasi indico se il verbo è usato in modo transitivo T o intransitivo I. Poi volgo le frasi al passato prossimo.**

- La partita comincia fra dieci minuti. ☐ ....
  Comincio adesso il lavoro. ☐ ....
- La memoria serve. ☐ ....
  Il cameriere serve i clienti. ☐ ....
- Il tempo passa veloce. ☐ ....
  Leo passa il sale al nonno. ☐ ....

6 **Completo la frase nel riquadro.**

I verbi che possono avere sia funzione transitiva che intransitiva, hanno come ausiliare .... quando sono transitivi, hanno come ausiliare .... quando sono intransitivi.

7 **Completo la tabella.**

FUNZIONE TRANSITIVA	FUNZIONE INTRANSITIVA
Maria	Alla sera la temperatura **scende**.
Assisto	**Assisto** allo spettacolo.
Il siluro **affonda**	.... **affonda**.
L'orchestra **attacca**	....
Salgo	**Salgo** ....

ORA SO...

Riconoscere e usare i verbi transitivi e intransitivi.

Forma attiva e forma passiva

Quando il soggetto compie l'azione, la frase è espressa in forma attiva e il verbo è di forma attiva.
Quando il soggetto subisce l'azione, la frase è espressa in forma passiva e il verbo è di forma passiva.

Glenda **lava** il cane. → forma attiva  Il cane **è lavato** da Glenda. ← forma passiva

1 **Trasformo le frasi cambiando il verbo dalla forma attiva alla forma passiva.**

- Il muratore → ripara → il muro.
  Il muro ← .... dal muratore.
- Mattia beve l'aranciata.
  L'aranciata ← .... da Mattia.
- Gli investigatori hanno scoperto il colpevole.
  Il colpevole ← .... dagli investigatori.
- Moltissime persone invasero la piazza.
  La piazza ← .... da moltissime persone.
- Un architetto ha arredato l'appartamento.
  L'appartamento ← .... da un architetto.

2 **Indico se le seguenti frasi sono attive A o passive P. Poi sottolineo i verbi: in blu i verbi di forma attiva e in rosso i verbi di forma passiva.**

- Sara ha vinto una gara di sci. A P
- L'incendio brucia il bosco. A P
- Chiara beve una cioccolata calda. A P
- Io sono stato chiamato al telefono. A P
- La siepe è stata potata ieri. A P
- L'auto è stata riparata subito. A P
- Quel dipinto è stato fatto da mio zio. A P
- L'albero fu colpito da un fulmine. A P
- La maestra ha letto il mio testo. A P
- Un cane abbaiava alla luna. A P

3 **Per ciascuna coppia di parole scelgo un verbo e scrivo una frase di forma attiva A e una di forma passiva P.**

gallina grano

A ....

P ....

nonna ninna nanna

A ....

P ....

ORA SO...
Riconoscere e scrivere frasi e voci verbali di forma attiva e di forma passiva.

Dalla forma attiva alla forma passiva

FINISCI TU!

Forma attiva: La mamma (soggetto) ha spalancato **la finestra** (**complemento oggetto**)

Forma passiva: **La finestra** (**soggetto**) è stata spalancata dalla mamma (complemento d'agente)

Trasformando una frase da attiva in passiva si hanno questi cambiamenti: il verbo passa dalla forma attiva alla forma ....; il soggetto della frase attiva diventa il .... della frase passiva; il .... della frase attiva diventa il soggetto della frase passiva.

1 **Trasformo le frasi dalla forma passiva alla forma attiva.**

- Il portone fu aperto dalla bidella.

....

- Il raccolto è stato rovinato dalla grandine.

....

- I pomodori sono raccolti nell'orto dal nonno.

....

- Questo disegno è stato fatto da Mauro e Marina.

....

ATTENZIONE!

I verbi **transitivi** hanno la **forma attiva** e la **forma passiva**.
I verbi **intransitivi** hanno solo la **forma attiva, non** possono avere la **forma passiva**.

2 **Trasformo le frasi, quando è possibile, dalla forma attiva alla forma passiva. Poi sottolineo il complemento d'agente o di causa efficiente.**

- Il cane ha sotterrato l'osso.

....

- Il papà guida la macchina.

....

- Il gatto si arrampica sull'albero.

....

- Il vento spinge le nuvole.

....

CONSIGLIO!

Se l'agente è inanimato, si chiama complemento di causa efficiente.

3 **Cerchio le voci verbali di forma passiva.**

Ero andato	Sono andati	È partita	Sono mangiate	È stata scritta
Furono visti	Ha creduto	Era corsa	Siamo stati interrogati	È uscita

ORA SO...

Trasformare le frasi dalla forma attiva alla forma passiva.

La forma riflessiva

I verbi in forma riflessiva indicano un'azione che il soggetto compie su se stesso.

Rita si pettina. Rita pettina se stessa.

Solo i verbi transitivi possono avere la forma riflessiva.
I verbi riflessivi hanno l'ausiliare essere e sono accompagnati da un pronome personale, mi-ti-si-ci-vi, che rappresenta il complemento oggetto (me stesso, te stesso ecc.).

RICORDA!

1 Coniugo la forma riflessiva e completo.

- Io mi lavo. → Io lavo me stesso.
- Tu .... lavi. → Tu lavi ....
- Egli .... → ....
- Noi .... → ....
- Voi .... → ....
- Essi .... → ....

2 Completo con la forma giusta dei seguenti verbi riflessivi.

specchiarsi • vestirsi • ferirsi • iscriversi • tuffarsi • credersi • asciugarsi • nascondersi

- Giorgio .... con un coltello.
- Voi .... imbattibili, ma non è vero.
- Gli alberi .... nel fiume.
- I miei cugini .... all'università di Milano.
- Io .... leggero perché fa caldo.
- Dopo noi .... da quello scoglio.
- Ora devo .... per non prendere il raffreddore.
- La lepre .... nella siepe.

3 Sottolineo i verbi di forma riflessiva.

- Il bambino si lava le mani.
- Non mi sposto da qui.
- Il bicchiere è caduto e si è rotto.
- Ti preparo un tè caldo.
- Si sono fermati un po' per riposarsi.
- La mamma si prepara per uscire.
- Mi presti una matita?
- È tardi, ti devi alzare!
- Quel ciclista si allena ogni giorno.
- Ci siamo vestiti in fretta e furia.

CONSIGLIO!

Il verbo è di forma riflessiva solo se il pronome personale mi, ti, si, ci, vi, ha funzione di complemento oggetto e coincide con il soggetto.

4 Trasformo le seguenti voci verbali di forma attiva in forma riflessiva.

- Tu hai lavato ....
- Lei ha alzato ....
- Noi abbiamo preparato ....
- Fermate! ....
- Sposta! ....
- Io avrei fermato ....
- Loro nasconderanno ....
- Io ho graffiato ....

ORA SO...

Riconoscere e scrivere frasi e voci verbali di forma riflessiva.

I verbi impersonali

I verbi impersonali non hanno un soggetto e si usano solo alla terza persona singolare. Sono sempre impersonali i verbi che indicano fenomeni atmosferici.

piove grandina

Si usano spesso in forma impersonale anche alcuni verbi come **accadere, occorrere, sembrare, succedere, capitare**...

Sembra che Chiara sia stata promossa. In certe situazioni **conviene** tacere.

1 Sottolineo in rosso i verbi impersonali.

- Nevica senza sosta da più di un'ora.
- Tuonò e lampeggiò per tutta la notte.
- Capita spesso che piova.
- Sembra che tu non voglia capirmi!
- Occorre avere pazienza.
- Albeggiava, quando mi svegliai.
- Il contadino temeva che grandinasse.
- Pare che il colpevole abbia confessato.
- È opportuno seguire una dieta varia.
- Basta aggiungere un po' di zucchero.
- Diluviava e non riuscivo a vedere la strada.
- Nello studio bisogna impegnarsi.

ATTENZIONE!

Si possono usare in modo impersonale tutti i verbi. Per fare la forma impersonale si mette davanti alla terza persona singolare il pronome si.

si parlava = tutti parlavano, la gente parlava

2 Sostituisco le espressioni sottolineate con una forma impersonale. Osservo l'esempio.

- Tutti dicono che il prossimo inverno sarà molto freddo.
  Si dice che il prossimo inverno sarà molto freddo
- Un tempo le persone camminavano di più a piedi.
  ....
- La gente non rispetta abbastanza la natura.
  ....
- Se uno vuole può fare molto per aiutare gli altri.
  ....
- Spesso le persone parlano molto senza ascoltare.
  ....

3 Per ciascun verbo scrivo sul quaderno due frasi usandolo prima in forma personale, poi in forma impersonale.

raccontare • pensare

ORA SO...

Riconoscere e usare i verbi impersonali.

Verbi transitivi e intransitivi, forma attiva, passiva e riflessiva

1 Sottolineo i verbi transitivi e per ciascuno scrivo una frase con un'espansione diretta:

parlare • chiudere • sorridere • scivolare • vendere • illuminare
dimenticare • miagolare • condire

....

....

....

....

....

2 Scrivo cinque verbi transitivi e cinque verbi intransitivi.

....

....

....

....

....

3 Sottolineo in blu i verbi di forma passiva e in rosso i verbi di forma attiva.

- Nel bosco sono nati tanti funghi.
- I nonni sono stati invitati a cena dai vicini.
- Il primo film di Harry Potter è stato trasmesso ieri sera in televisione.
- L'ultimo libro di Harry Potter è uscito ieri in tutte le librerie.
- Marta non è stata avvisata dello sciopero, perciò stamani è andata a scuola.
- Il pacco è stato spedito la settimana scorsa, ma non è ancora arrivato.
- La stanza era stata ordinata in fretta e furia.
- La pianta, che stava seccando, è stata trapiantata in un vaso più grande.
- La torta era ricoperta da un'invitante glassa al cioccolato.
- Il fulmine aveva colpito un albero del giardino.

4 Trasformo le frasi dalla forma attiva alla forma passiva.

- Il papà ha riparato la mia bicicletta.

....

- Un gatto nero ha attraversato la strada.

....

5 Trasformo le frasi dalla forma passiva alla forma attiva.

- I tetti delle case sono stati imbiancati dalla neve.

....

- Il problema di geometria è stato risolto solo da Francesca.

....

6 Sottolineo i verbi riflessivi.

- Mi sono sporcato con le tempere.
- Ieri ti ho telefonato, ma non mi hai risposto.
- Ti sei truccata troppo.
- Vai subito a lavarti le mani!
- Non ti fermare a guardare le vetrine, è tardi!
- Chiara si è tuffata dal trampolino.
- Io mi nascondo qui, tu non dire niente!

7 Sottolineo i verbi impersonali.

- Bisogna parlare sottovoce.
- Si avverte che domani l'ufficio resterà chiuso.
- Quando siamo usciti, pioveva a dirotto.
- A volte si dimentica il bene ricevuto.
- Pare che domani nevichi.
- Si sentiva la musica in lontananza.

8 In ogni frase sottolineo il verbo e indico se è di forma attiva [A], passiva [P] o riflessiva [R].

- La mia cuginetta di tre anni si veste già da sé. [A] [P] [R]
- Siamo stati invitati da Lucia al suo compleanno. [A] [P] [R]
- Asciugati bene i capelli. [A] [P] [R]
- Gli alberi sono stati abbattuti ieri. [A] [P] [R]
- Ti aspetto all'uscita della scuola. [A] [P] [R]
- Mi sono dimenticata di portare il dizionario. [A] [P] [R]
- Ti sei bagnato? [A] [P] [R]
- La notizia è stata pubblicata da tutti i giornali. [A] [P] [R]

9 Scrivo tre frasi con il verbo nel riquadro. In una frase lo uso nella forma attiva, in una nella forma passiva e in una nella forma riflessiva.

svegliare

....

....

....

....

....

Il soggetto, il predicato verbale e il predicato nominale

In una frase: ciò di cui si parla è il soggetto, ciò che si dice del soggetto è il predicato.

Il predicato verbale indica che cosa fa il soggetto.
È formato da un verbo che esprime un'azione.

Il predicato nominale indica chi è, com'è o che cos'è il soggetto.
È formato dal verbo essere seguito da un nome o da un aggettivo.

La pecora	bela.	La pecora	è un mammifero.
soggetto	**predicato verbale**	**soggetto**	**predicato nominale**

1 **Cerchio il soggetto, sottolineo in rosso i predicati nominali e in blu i predicati verbali.**

- Oggi arrivano i miei cugini da Roma.
- Ti telefonerà mio padre.
- Lei è la fidanzata di mio fratello.
- Alle otto iniziano le lezioni.
- Grande è il contrario di piccolo.
- Sicuramente tu sei un bambino tranquillo.
- Camminare fa bene.
- I Romani furono un popolo di conquistatori.
- Più tardi io esco.
- A quel tempo i miei nonni erano bambini.

ATTENZIONE!

Quando il verbo essere significa *esistere, stare, trovarsi, appartenere a, essere fatto di*, ha valore di predicato verbale; anche quando è usato come ausiliare non ha funzione di predicato nominale, ma forma insieme al participio passato del verbo un predicato verbale:

Noi	siamo usciti
soggetto	**predicato verbale**

2 **Sottolineo il predicato e indico con una ✗ se si tratta di un predicato verbale PV o di un predicato nominale PN.**

	PV	PN
La mamma è uscita.	☐	☐
La torta è in forno.	☐	☐
Ti sarò sempre amico.	☐	☐
Erano arrivati da poco.	☐	☐
Erano molto stanchi.	☐	☐
Il cielo era nuvoloso.	☐	☐
I libri sono sul tavolo.	☐	☐
Quei libri sono molto belli.	☐	☐
Ci sono tanti tipi di fiori.	☐	☐
Questi orecchini sono d'oro.	☐	☐

ATTENZIONE!

I verbi **sembrare, apparire, rimanere, diventare**, che sono detti verbi copulativi, spesso si uniscono a un aggettivo o a un nome. In questi casi formano un predicato nominale.

3 **Completo i seguenti predicati nominali.**

- Quel gattino sembra ....
- Quando ti arrabbi diventi ....
- Quando scatto la foto devi restare ....
- Mi sembri molto ....

ORA SO...

Riconoscere nella frase il soggetto e il predicato verbale e nominale.

Il complemento oggetto

Il complemento oggetto specifica il significato del predicato verbale.
Si collega direttamente al verbo. Risponde alla domanda: Chi? Che cosa?
Solo i verbi transitivi possono avere il complemento oggetto.

Maria → lava → Che cosa? → l'automobile

1 Completo con un complemento oggetto.

- Cappuccetto Rosso incontra (chi?) ....
- Il pilota guida (che cosa?) ....
- Il gatto ha rubato (che cosa?) ....
- Vorrei bere (che cosa?) ....
- Abbiamo incontrato (chi?) ....

ATTENZIONE!

Il complemento oggetto di solito segue il verbo, ma lo precede quando è espresso da un pronome (lo-la-li-le-mi-ti...).

Ho incontrato **gli amici** e li ho salutati.

Cerca il verbo e poi chiediti: Chi? Che cosa?

2 Sottolineo il complemento oggetto.

- Leggo spesso i fumetti giapponesi.
- Luigi mi ha invitato al suo compleanno.
- Ho comprato una torta per la festa.
- Ti ho visto ieri al cinema.
- La neve ha imbiancato i campi.
- Ho comprato un regalo per mia sorella.
- Io lo chiamerò.
- Noi invitiamo spesso gli zii a pranzo.

ATTENZIONE!

Talvolta il complemento oggetto è preceduto da del, dello, della, dei... che hanno la fuzione di articoli partitivi con il significato di *alcuni*, *alcune*, *un po'*.

3 In queste frasi sottolineo, se c'è, il complemento oggetto.

- A colazione ho bevuto latte e orzo.
- Lin parte per le vacanze domattina alle sei.
- Oussama è andato in Marocco con l'aereo.
- Versami dell'acqua per favore.
- Hai letto l'ultimo libro di Harry Potter?
- Ho sentito dei rumori strani.
- Il papà scrive una e-mail al suo collega.
- Ho conosciuto dei bambini simpatici.

UN SALTO IN PIÙ

Sul quaderno scrivo una frase in cui *dei* introduce un complemento oggetto e una in cui introduce un altro complemento.

ORA SO...

Riconoscere il complemento oggetto.

I complementi indiretti: il complemento di termine e il complemento di specificazione

RICORDA!

I complementi indiretti sono introdotti da una preposizione, semplice o articolata.

1 **Completo con un complemento di specificazione (Di chi? Di che cosa?).**

- Francesca è la sorella ....
- Ieri mancava l'insegnante ....
- La pioggia cadeva sulle strade ....
- Il nonno .... faceva il marinaio.

2 **Completo con un complemento di termine (A chi? A che cosa?).**

- Ho telefonato ....
- Il fumo fa male ....
- La colla si è attaccata ....
- Ho regalato la mia penna ....

3 **In queste frasi sottolineo in blu il complemento di specificazione e in rosso il complemento di termine.**

- La mamma ha offerto ai miei amici una bella fetta di torta.
- Perché hai usato la penna del tuo compagno?
- Alla mia amica Sara non piace fare i compiti di matematica.
- Devo consegnare questo pacco alla mia vicina di casa.
- La maestra distribuisce ai bambini le prove di verifica.
- Se sei incerta, chiedi spiegazioni all'insegnante.
- Le strade del paesino erano strette e in salita.
- Chiara è andata ai giardini con i pattini di suo fratello.
- Vado a casa della mia compagna di banco.

ATTENZIONE!

I pronomi personali **lo-la-le-gli** e le particelle pronominali **mi-ti-si-ci-vi** possono avere valore di complemento oggetto (**c.o.**) o di complemento di termine (**c.t.**)

lo	la	le	gli	mi	ti	ci	si	vi
↓	↓	↙ ↘	↓	↙ ↘	↙ ↘	↙ ↘	↙ ↘	↙ ↘
lui (c.o.)	lei (c.o.)	a lei (c.t.) / lei (c.o.)	a lui (c.t.)	a me (c.t.) / me (c.o.)	a te (c.t.) / te (c.o.)	a noi (c.t.) / noi (c.o.)	a loro (c.t.) / loro (c.o.)	a voi (c.t.) / voi (c.o.)

4 **Indica se i pronomi e le particelle pronominali sono complemento oggetto (c.o.) o complemento di termine (c.t.).**

Ti aspetto ⟶ aspetto te (c.o.)
Vi dirò tutto ⟶ ....
Le ho salutate ⟶ ....
Le telefonai ⟶ ....
Non vi vedo ⟶ ....

Mi ha scritto ⟶ ....
Gli parlerò ⟶ ....
Ti farò un regalo ⟶ ....
Mi guarda ⟶ ....
Ci hanno avvertito ⟶ ....

ORA SO...
Riconoscere i complementi di termine e di specificazione.

I complementi di luogo, di tempo e di modo

1 **Sottolineo i complementi di luogo e scrivo a quale delle seguenti domande rispondono: Dove? Da dove? Per (attraverso) dove? Verso dove?**

- Per andare dalla nonna Cappuccetto Rosso passò dal bosco. ....
- Ti aspetto alle sei al solito bar. ....
- Vieni a casa mia a giocare? ....
- Quel treno è diretto a Napoli. ....
- Torno adesso da scuola. ....
- Il gattino si è arrampicato sull'albero. ....

2 **Completo con un complemento di tempo (Quando? Per quanto tempo? Da quanto tempo?).**

- .... iniziano le vacanze estive
- La mamma è uscita ....
- Ho camminato ....
- ....ho dormito poco.
- Sono andata in piscina ....
- Le ho parlato ....
- .... è il mio compleanno.
- Esco da scuola ....
- .... ci si scambiano i doni.
- Starò al mare ....
- .... farò colazione al bar.
- Ti aspetto ....

3 **Completo con un complemento di modo (Come? In quale modo?).**

- È tardi! Camminiamo ....
- Hai lavorato ....
- L'autista guidava ....
- L'anziano camminava....................................
- Rispondi sempre ....
- Dopo la corsa respirava ....
- Il vento soffiava ....
- Spalancò la porta ....

4 **Sottolineo in rosso i complementi di luogo, in blu i complementi di tempo, in verde i complementi di modo.**

- Lentamente cadeva la neve sui tetti e sulle strade.
- Durante la notte i ladri sono entrati in garage passando dalla finestra.
- Oggi ho studiato per tre ore con molta concentrazione.
- Ha parlato a lungo con molta chiarezza e tutti lo ascoltavano attentamente.
- Entrate in campo e disponetevi a coppie per la gara.
- Sono tornato da due giorni dal mare e fra una settimana partirò per la montagna.
- Mangia con calma, i tuoi amici arriveranno più tardi: sono ancora in autostrada.

ORA SO...
Riconoscere i complementi di tempo, di luogo e di modo.

I complementi di mezzo, di fine o scopo e di causa

1 Completo con un complemento di mezzo (Con che cosa? Per mezzo di chi? Per mezzo di che cosa?).

- Mi piace dipingere ....
- Io vado a scuola ....
- Ho piantato il chiodo ....
- Marta ha incartato i regali ....

2 Sottolineo il complemento di fine (Per quale fine? A quale scopo?).

- Ho comprato un bel vestito per la festa.
- Ho studiato tanto per l'interrogazione.
- Per la riparazione chiedi al carrozziere.
- Per la vittoria tutta la squadra si è impegnata al massimo.

3 Completo con un complemento di causa (Per quale motivo? A causa di che cosa?) scrivendolo nelle diverse forme.

Saltare di gioia dalla gioia per la gioia

Ridere ....

Gridare ....

Tremare ....

4 Complemento di causa C o di fine F? Scegli con X.

Queste mura sono state costruite per difesa.	C	F
Piangeva per l'emozione.	C	F
Preparatevi per l'uscita.	C	F
Si è allenato tanto per la gara.	C	F
Arrossì dalla vergogna.	C	F
Per l'impegno che hai messo, meriti un premio.	C	F
Per la fretta, hai sbagliato i calcoli.	C	F

5 Sottolinea in rosso il complemento di mezzo e in blu il complemento di causa.

- Il nonno è a letto per l'influenza.
- Per il freddo abbiamo dovuto ripararci con guanti e sciarpe.
- Per una buona riuscita della torta, bisogna sbattere le uova con la frusta.
- Il treno non è partito per un guasto sui binari, sono dovuto venire con l'auto.
- Ti scrivo con la posta elettronica.
- Sali con l'ascensore!

6 Con la preposizione *per* scrivo una frase per ognuno dei complementi indicati.

causa ....

fine ....

ORA SO...

Riconoscere i complementi di mezzo, di fine e di causa .

Ancora complementi indiretti

1 **Sottolineo in rosso il** complemento di compagnia **(Con chi? Insieme a chi?) e in blu il** complemento di unione **(Con che cosa? Insieme a che cosa?).**

- Ho mangiato un panino con il salame.
- Domani andrò in gita in montagna con papà; partirò con lo zaino pieno di provviste.
- Vuoi giocare con me?
- Oggi vado in piscina con Sharim.
- Quando sono con Anna non mi annoio mai.
- Forse pioverà: esco con l'ombrello.

2 **Completo con un** complemento di materia **(Di quale materiale?).**

- Indosso delle calze ....
- Questa collana è ....
- Indossava un bellissimo abito ....
- Sulla spiaggia ho fatto un castello ....
- I bicchieri .... sono delicati.
- Cenerentola perse una scarpetta ....

3 **Sottolineo con colori diversi i complementi di** mezzo, modo, compagnia.

- Mi piace fare i compiti con la mia amica Giulia.
- Con l'impegno si superano molti ostacoli.
- Si muoveva con molta agilità.
- Con Luca ci si diverte sempre.
- Vieni a cena fuori con me?
- Scrivi a mano, non con il computer.

4 **Sottolineo tutti i complementi introdotti dalla preposizione** *di* **e indico di quale complemento si tratta.**

- Nel giardino di mia nonna c'è una casetta di legno dove il nonno tiene gli attrezzi dell'orto.
  di mia nonna: compl. di specificazione
  ....
- Piangeva di rabbia. ....
- È partito di nascosto, di notte. ....
- D'estate, di sera, prendo il fresco sul balcone di casa. ....
  ....

5 **Con la preposizione** *con* **scrivo una frase per ognuno dei complementi indicati.**

unione ....

modo ....

mezzo ....

UN SALTO IN PIÙ

Scrivo una frase in cui siano presenti tre complementi diversi introdotti dalla preposizione *di*.

....

....

ORA SO...

Riconoscere e usare i complementi di compagnia, di unione e di materia; riconoscere e usare vari complementi indiretti.

Attributo e apposizione

L'attributo è un aggettivo che accompagna il nome che fa da soggetto o da complemento

Soggetto	Pred. verb.	Complemento oggetto
Molti bruchi	diventano	farfalle bellissime
Attributo del soggetto		Attributo del complemento oggetto

RICORDA!

1 **Cerchio e trascrivo l'attributo, poi spiego a chi o a che cosa si riferisce.**

- Un gatto goloso ha rubato il formaggio.
  goloso = attributo del soggetto
- Tu mi hai dato un buon consiglio.
  .... = attr. del ....
- Due gatti corrono sul tetto.
  .... = attr. del ....
- Ho mangiato un'ottima pizza.
  .... = attr. del ....
- Ecco la foto del mio papà.
  .... = attr. del ....
- Scrivo con una penna rossa.
  ....= attr. del ....

2 **Ricopio le frasi arricchendole con degli attributi. Poi spiego a chi o a che cosa si riferiscono**

Ti ho scritto una lettera con il computer.

....

....

Un bambino correva in un prato insieme al cane.

....

....

L'apposizione è un nome che accompagna il nome che fa da soggetto o da complemento.

Soggetto	Pred. verb.	Complemento oggetto
Il fiume Tevere	bagna	Roma, città del Lazio
Apposizione del soggetto		Apposizione del complemento oggetto

3 **Sottolineo gli attributi e cerchio le apposizioni.**

- Mia sorella Lucia legge tanti libri.
- Questo quadro è opera del pittore Tiziano.
- Ulisse desiderava tanto rivedere il caro figlio Telemaco e l'amata moglie Penelope.
- Il grande poeta Dante è nato a Firenze.
- Passami quel libro.
- Il fiume Arno bagna Firenze, bellissima città d'arte.

ORA SO...

Riconoscere attributi e apposizioni.

Soggetto, predicato e complementi

1 Individuo i complementi.

Tiziana dipinge
con le tempere ....
con impegno ....
con i compagni ....

È scappato
di casa ....
di notte ....
di nascosto ....

2 Completo con i complementi indicati.

Ho mangiato
(c. oggetto) ....
(c. di tempo) ....
(c. di luogo) ....
(c. di compagnia) ....

Sara ha regalato
(c. oggetto + attributo) ....
(c. di termine) ....
(c. di causa) ....
(c. di modo) ....

3 Analizzo le seguenti frasi: individuo prima soggetto e predicato, poi i complementi.

Nel giardino di casa mia c'è un grande albero con tanti nidi di uccellini.

Un grande albero = sogg. + attr.
c'è = pred.verbale
nel giardino ....
di casa mia ....
con tanti nidi ....
di uccellini ....

In poco tempo la nonna ha fatto a Martina con i ferri un bel maglione rosso di lana.

....
....
....
....
....
....
....
....

Sulle Dolomiti si trovano conchiglie fossili.

....
....
....

Per tutto il pomeriggio una pioggia violenta è caduta sulla città.

....
....
....
....

Parto domani con l'aereo per la Grecia con i miei genitori per una vacanza.

....
....
....
....
....
....

La frase semplice e la frase nucleare

RICORDA!

Una frase è un insieme di parole che ha significato compiuto e si chiude con una pausa forte.

La frase semplice ha un solo predicato: *Io* ***mangio*** *una pizza con i miei amici.*

La frase nucleare è una frase semplice formata dagli elementi assolutamente necessari per esprimere un significato: *Io* ***corro***.

1 Cerchio i predicati in queste frasi, poi sottolineo le frasi semplici.

CONSIGLIO!

Solo la frase con un unico predicato, è una frase semplice!

- Stasera ceno dalla nonna.
- Mia zia lavora in un negozio vicino a casa nostra.
- Mi piacciono molto i fumetti giapponesi: ne ho una ricca collezione.
- Se vuoi una spremuta, te la preparo.
- La mia mamma sa fare dei buonissimi biscotti alle mandorle con il cioccolato.
- Appena arrivi, telefonami.
- Stasera guardo un film di fantascienza.

ATTENZIONE!

Una frase nucleare può essere formata dal solo predicato: *Piove*.
Dal predicato e dal soggetto: *Marco ride*.
Dal predicato, dal soggetto e da alcuni complementi che sono necessari perché la frase abbia un senso: *Paolo coltiva i fiori*.

2 Sottolineo gli elementi necessari al significato di ogni frase, poi scrivo la frase nucleare.

- La mamma sbuccia una mela per il suo bambino.
  La mamma sbuccia una mela
- Sara dorme profondamente.
  ....
- Stamani la maestra ha rimproverato duramente i bambini.
  ....
- Il neonato piange per la fame.
  ....
- La maestra corregge le verifiche di grammatica.
  ....
- Il nonno russa sul divano del salotto.
  ....

3 Sul quaderno scrivo tre frasi semplici non nucleari e tre frasi nucleari.

ORA SO...

Riconoscere e produrre frasi semplici e frasi nucleari.

La frase semplice e la frase complessa o periodo (1)

La frase semplice ha un solo predicato.
La frase complessa o periodo ha più di un predicato.
In un periodo ci sono tante frasi (dette proposizioni) quanti sono i predicati.

1 **Divido il brano in frasi con due barrette come nell'esempio, sottolineo tutti i predicati, poi completo.**

È l'ora del tramonto.// Ci incamminiamo lungo gli argini stretti del fiume. Incontriamo i contadini che camminano in fila e a ogni passo percuotono il suolo con il bastone. Poco più avanti appaiono gruppi di case molto basse. Intorno a noi le palme sembrano colonne che sostengono il cielo. Finalmente raggiungiamo il villaggio dove le prime luci sono già accese.

Numero totale di frasi del brano: ....

- 1ª frase: n° .... predicati, n° .... proposizioni
  La frase è: ☐ semplice ☐ complessa.
- 2ª frase: n° .... predicati, n° .... proposizioni
  La frase è: ☐ semplice ☐ complessa
- 3ª frase: n° .... predicati, n° .... proposizioni
  La frase è: ☐ semplice ☐ complessa
- 4ª frase: n° .... predicati, n° .... proposizioni
  La frase è: ☐ semplice ☐ complessa
- 5ª frase: n° .... predicati, n° .... proposizioni
  La frase è: ☐ semplice ☐ complessa
- 6ª frase: n° .... predicati, n° .... proposizioni
  La frase è: ☐ semplice ☐ complessa

2 **Unisco con la congiunzione adatta (colonna centrale) le frasi della prima cornice con quelle della seconda in modo da ottenere delle frasi complesse e le scrivo sotto.**

Non vengo a scuola	quando	sono rientrata a casa.
Avvertimi con una telefonata	ma	te la voglio raccontare.
Ha iniziato a piovere	perciò	sei arrivato.
È una storia lunga	perché	ho la febbre.

....

....

....

....

ORA SO...
Distinguere e produrre frasi semplici e frasi complesse.

La frase semplice e la frase complessa o periodo (2)

1 **Sottolineo i verbi in questi periodi e cerchio le congiunzioni e i segni di punteggiatura che collegano le frasi. Scrivo poi sul quaderno le frasi semplici (proposizioni) di ogni periodo, numerandole.**

La maestra ci ha letto una storia (poi) noi l'abbiamo illustrata.

1 La maestra ci ha letto una storia.
2 Noi l'abbiamo illustrata.

- In pizzeria ho mangiato una pizza margherita e ho bevuto un'aranciata.
- Lucia mi ha dato un pezzo della sua merenda perché io non l'avevo.
- Ricordati di prendere l'ombrello: piove a dirotto.
- Oggi vado dalla nonna perciò non posso venire a casa tua.
- Non te lo scordare, è importante!

2 **Distinguo le frasi semplici S e le frasi complesse (o periodi) C. In ogni frase complessa individuo poi le frasi semplici che la compongono e le separo con una barra.**

- Io me ne stavo seduta in silenzio mentre i miei compagni giocavano e la maestra correggeva i compiti. S C
- Il mio paese è bagnato da un torrente non inquinato e ricco di pesci. S C
- Alzati e chiudi la porta. S C
- Mentre guardavo la televisione ho sentito aprire la porta ed è entrato il papà. S C
- Per il compleanno della mamma le ho preparato con le mie mani una torta al limone, la sua preferita. S C
- Esci o resti in casa? S C

3 **Trasformo le seguenti frasi complesse in frasi semplici.**

- Non riusciva a parlare perché aveva il fiatone.
  Non riusciva a parlare per il fiatone.
- Si scusò perché era in ritardo.
  ....
- Vengo dopo aver pranzato.
  ....

4 **Trasformo le seguenti frasi semplici in frasi complesse.**

- Per la paura, non si mosse.
  Poiché aveva paura, non si mosse.
- Alla fine dello spettacolo, tutti applaudirono.
  ....
- Nonostante la tristezza, cercai di sorridere.
  ....

ORA SO...
Distinguere e produrre frasi semplici e frasi complesse.

Frasi principali e frasi secondarie

In un periodo la frase che mantiene il suo significato anche da sola, e che dunque potrebbe stare anche come una frase semplice, si chiama frase principale. Le frasi che da sole non hanno senso compiuto, ma devono essere legate a un'altra per essere comprensibili, si chiamano frasi secondarie.

Ero molto contenta	dopo aver ricevuto la bella notizia.
frase principale	frase secondaria

1 Collego ogni frase principale con la corrispondente secondaria.

PRINCIPALE	SECONDARIA
Sono andata a scuola	quando il treno era già partito.
La mamma mi farà un regalo	che mi avevi chiesto.
Sono arrivato	benché avessi mal di denti.
Ti ho portato il libro	dopo che avrai finito i compiti.
Ti porterò fuori	per festeggiare la mia promozione.

2 Completo le frasi secondarie con una frase principale.

P...
S perché sono contenta.

P ....
S anche se aveva la febbre.

P ....
S che mi piaceva tanto.

S Se vieni a pranzo da me,
P...

P...
S per farle gli auguri.

P...
S se non lo rovini.

P...
S affinché non sentisse freddo.

S Siccome domani è vacanza,
P...

3 Distinguo le frasi principali [P] dalle frasi secondarie [S]

- Anche se ero molto stanco [ ], ho continuato a correre [ ].
- Se fa caldo [ ] accendi il condizionatore [ ].
- Dopo aver finito i compiti [ ], ho guardato il film [ ].
- Devo fare i compiti [ ] che non ho fatto ieri [ ].
- Per piacere dammi un foglio [ ], mi sono dimenticata di portarlo [ ].

ORA SO...
Distinguere e produrre frasi principali e secondarie.

Le frasi coordinate

RICORDA!

Si dicono coordinate due frasi di pari grado collegate fra loro: una principale collegata a una principale, una secondaria collegata a una secondaria dello stesso tipo. Le due frasi mantengono una loro autonomia anche di significato.
La coordinazione può avvenire:

- per mezzo di congiunzioni dette coordinanti:
  e, ma, o, oppure, tuttavia, cioè, infatti, perciò, dunque, quindi, così...
- per mezzo di segni di punteggiatura.

Domani c'è la verifica perciò devo prepararmi.
principale — coordinata

Domani c'è la verifica: devo prepararmi.
principale — coordinata

1 Collego a due a due le frasi coordinate con la congiunzione adatta.

Fa troppo freddo	e	torno fra un'ora.
Sono venuta da te	ma	non esco.
Vado a fare la spesa	perciò	non eri in casa.

2 Completo con le congiunzioni coordinanti adatte.

- Ho caldo .... apro la finestra.
- Ti faccio i miei complimenti .... hai fatto proprio un bel lavoro.
- Domani è vacanza .... posso dormire un po' di più.
- Ci siete tutti .... possiamo cominciare.
- Vieni tu da me .... vengo io da te?
- Rimango ancora un po' .... dovrei andare.
- Mi piace sia ascoltare la musica .... ballare.
- Viaggio per conoscere .... per imparare.

3 Completo con frasi coordinate.

- Domani è il mio compleanno ....
- Ho voglia di mangiare qualcosa ....
- Non amo la montagna ....
- Sono stata a Parigi ....

CONSIGLIO!

Per collegare puoi usare sia le proposizioni coordinanti, sia la punteggiatura: virgola, due punti...

4 Sottolineo le frasi coordinate.

- Mi ha telefonato per ringraziarmi del regalo.
- Esci con me o guardi i cartoni animati?
- Sono contento perché in classe è arrivata una nuova compagna.
- Hanno ricevuto il premio anche se non se lo meritavano.
- In quel ristorante si mangia male, infatti c'era poca gente.
- Ho bussato a lungo: nessuno ha aperto.

ORA SO...
Riconoscere e produrre frasi coordinate.

La frase

1 Distinguo le frasi semplici S e le frasi complesse (o periodi) C. In ogni frase complessa individuo poi le frasi semplici che la compongono e le separo con una barra.

- In cucina la mamma prepara la tavola per il pranzo, mentre il papà frigge le patate. S C
- Mi piaci perché sei una persona sincera. S C
- Io abito in una piccola città medievale, con strade strette, palazzi antichi e molte chiese, circondata da antiche mura. S C
- Ti prego, ascoltami! S C
- La luce del faro brilla nell'oscurità e guida le navi che entrano nel porto. S C
- Ho trovato un piccolo gattino grigio molto carino. S C
- Non ti dimenticare di mettere nello zaino l'atlante, perché domani c'è Geografia. S C

2 Scrivo due frasi semplici e due frasi complesse.

Frasi semplici:

....

....

Frasi complesse:

....

....

3 Divido ogni periodo nelle frasi che lo compongono. Poi sottolineo in rosso la frase principale e in blu la secondaria.

- Spero di rivederti presto.
- Ascolto spesso la radio perché mi piace.
- Ti restituisco il quaderno che avevi lasciato a casa mia.
- Sebbene fosse ancora notte, gli esploratori si misero in cammino.
- Giunti in cima alla montagna, abbiamo ammirato lo stupendo panorama.

4 Nei seguenti periodi sottolineo in verde le frasi coordinate.

- Esco e vado a comprarmi un gelato.
- Vuoi restare a casa o andiamo al cinema?
- Faccio ginnastica per dimagrire.
- Ho mangiato troppo a pranzo perciò stasera non ceno.
- Aiutami a risolvere questo problema.
- Lei parlava, ma lui non ascoltava.

5 Scrivo un periodo formato da due frasi coordinate.

....

....

I linguaggi settoriali

1 **Sottolineo nel testo le parole che sono specifiche del linguaggio della musica.**

L'orchestra è un complesso strumentale la cui composizione ha subito varie modifiche nel corso degli ultimi quattro secoli. Oggi si chiama grande orchestra un insieme di un centinaio di strumenti, suddivisi in circa 60 archi, 15 legni, 15 ottoni e 10 strumenti a percussione. Per orchestra da camera si intende un complesso di non più di 40 elementi, dove gli archi sono in numero variabile e dove, comunque sia, gli strumenti a fiato presenti (che possono essere flauto, oboe, clarinetto, fagotto, corno, tromba) figurano a due (due per ciascuno strumento). La percussione è rappresentata generalmente dai soli timpani.

2 **Sottolineo le parole che sono specifiche del linguaggio della medicina.**

Le allergie e le malattie allergiche sono provocate da sostanze che si chiamano allergeni. Esistono allergeni respiratori (pollini, polvere, lana, piume, farina di cereali ecc.) e allergeni alimentari (soprattutto latte, uova e frutta), anche i farmaci e le punture di insetto o gli agenti atmosferici possono originare allergie. Per eliminare i sintomi dell'allergia occorre interrompere il contatto con l'allergene oppure si ricorre alla somministrazione di vaccini e farmaci appositi come antistaminici e cortisonici.

3 **A quale linguaggio settoriale appartiene ciascuna delle seguenti espressioni? Collego. Poi sottolineo all'interno di ciascuna le parole specifiche del linguaggio settoriale.**

Espressioni	Linguaggi	Espressioni
Nome utente e password costituiscono il nostro account.	LINGUAGGIO DELLA STORIA DELL'ARTE	Con un meraviglioso dribbling schiva l'avversario e si introduce pericolosamente nell'area di rigore.
	LINGUAGGIO DELL'INFORMATICA	
Una perturbazione di origine siberiana arrecherà precipitazioni nevose e brusco calo delle temperature.	LINGUAGGIO DELL'ECONOMIA	È entrata in orbita una nuova stazione spaziale per il trasporto di satelliti artificiali.
	LINGUAGGIO DELL'AERONAUTICA	
Gli indici Istat hanno subito un rialzo di 0,8 punti. Grande euforia in Borsa.	LINGUAGGIO CALCISTICO	Il pulpito è sorretto al centro da un pilastro con figure allegoriche a tutto tondo.
	LINGUAGGIO DELLA METEOROLOGIA	

ORA SO...
Riconoscere i linguaggi settoriali.

Linguaggio comune e linguaggio settoriale

1 Indico con C le parole che appartengono al linguaggio comune e con S le parole che appartengono a un linguaggio settoriale. Trascrivo poi le parole che appartengono a un linguaggio settoriale e indico al linguaggio di quale disciplina appartengono.

telescopio ☐	arancia ☐	dentina ☐	galassia ☐
turbina ☐	riunione ☐	libreria ☐	leucocita ☐
arcipelago ☐	perimetro ☐	centravanti ☐	mezzofondista ☐
cariata ☐	armadio ☐	ringhiera ☐	fotosintesi ☐

....

....

....

....

2 In ciascuna di queste coppie di parole che hanno lo stesso significato, cerchio quella che, secondo me, appartiene a un linguaggio settoriale.

multa - contravvenzione	iniezione - puntura
odontoiatra - dentista	addome - pancia
picciolo - gambo	animali - fauna
braccia - arti	pelle - cute

3 Collego i termini specifici di linguaggi settoriali al corrispondente termine del linguaggio comune.

LINGUAGGIO SETTORIALE	LINGUAGGIO COMUNE
terapia	decisione
esercente	mal di testa
sanzione	cura
delibera	negoziante
petizione	punizione
cefalea	richiesta
somministrare	persistente
cronico	dare

ORA SO...

Distinguere termini del linguaggio comune e del linguaggio settoriale.

Le parole straniere

Molte parole straniere sono entrate a far parte della nostra lingua e sono registrate sul dizionario. Di queste, a volte esiste una corrispondente parola italiana o espressione italiana:

Ci vediamo nel ***week-end****.* *Ci vediamo nel* ***fine settimana****.*

Molto spesso invece, proprio perché abbiamo importato il termine da un'altra lingua, non esiste un termine corrispondente nella nostra:

Per raggiungere l'aeroporto ho preso un ***taxi****.*

1 Ecco alcune parole straniere che sono entrate nel nostro vocabolario. Scrivo accanto a ciascuna, quando è possibile, la corrispondente parola italiana, e poi indico se proviene dalla lingua inglese [I] o francese [F].

sofà	☐	....	boutique	☐	....
show	☐	....	abat-jour	☐	....
purè	☐	....	camper	☐	....
équipe	☐	....	relax	☐	....
leader	☐	....	taxi	☐	....
bignè	☐	....	menu	☐	....
camping	☐	....	meeting	☐	....
toast	☐	....	record	☐	....
toilette	☐	....	croissant	☐	....
gilet	☐	....	bidet	☐	....
tailleur	☐	....	file	☐	....
mouse	☐	....	software	☐	....
computer	☐	....	freezer	☐	....
toast	☐	....	reclame	☐	....
basket	☐	....	match	☐	....

2 Per ciascuna di queste parole prese in prestito dal tedesco scrivo una frase.

speck • würstel • yogurt • strudel • diesel

....

....

....

....

....

ORA SO...

Riconoscere e usare parole straniere del vocabolario italiano.

Parole che nascono, parole che muoiono

Ci sono parole che si usavano un tempo e oggi non si usano più perché sono state sostituite da altre: **desio** / desiderio, o perché non esistono più gli oggetti, i mestieri, le situazioni che indicavano:

*Ogni sera il **lampionaio** accende i lampioni della strada.*

E ci sono parole nuove, inventate da poco perché sono nuovi gli oggetti, i mestieri, le situazioni che indicano:

*Per vedere la televisione in **digitale terrestre** ci vuole il **decoder**.*

1 Ecco un elenco di nomi che non si usano più. Indicano tutti dei mestieri che sono scomparsi, tranne uno che oggi si chiama però in un altro modo. Cerco i significati sul vocabolario e li scrivo sui puntini. Cerchio il nome del mestiere che ancora oggi esiste e scrivo come si chiama adesso.

arrotino ....

carbonaio ....

speziale ....

straccivendolo ....

stagnino ....

2 Collego ciascuna delle seguenti parole che non si usano più con quella più moderna con cui è stata sostituita.

verone	casa
gendarme	nebbia
dimora	balcone
bruma	modo
tedio	carabiniere
guisa	nozze
sponsali	noia

3 Sottolineo in rosso le parole nate da poco e in blu le parole che non si usano più.

videolettore • convitati • climatizzatore

messere • navigatore satellitare

archibugio • microonde • internet

videocitofono • convito • masterizzatore

allunaggio • smog • damigella

ribaldo • stampante • euro

4 Scelgo due parole che non si usano più dell'esercizio 2 e con esse compongono 2 frasi. Poi riscrivo sul quaderno le frasi sostituendo le parole non più in uso con quelle che si usano oggi al loro posto.

....

....

....

5 Scrivo sul quaderno 5 frasi utilizzando alcune delle parole nate da poco dell'esercizio 3.

ORA SO...

Riconoscere e usare arcaismi e neologismi.

Parlare per metafore: linguaggio figurato

Usiamo un linguaggio figurato, cioè facciamo uso di metafore o espressioni metaforiche, quando adoperiamo parole o gruppi di parole con un significato che è diverso da quello abituale, ma che lo richiama:

ho **una montagna** di lavoro = ho tanto lavoro da fare.

1 **Quale delle seguenti espressioni metaforiche può sostiture le parole sottolineate nelle frasi? Scrivo i numeri giusti nei riquadri.**

1. gli ha messo la pulce nell'orecchio
2. fa orecchi da mercante
3. è sulla cresta dell'onda
4. ha vuotato il sacco

- Quando la mamma lo chiama, spesso Luca fa finta di non sentire. ☐
- Il maestro non ci pensava per niente, ma qualcuno l'ha insospettito. ☐
- Il colpevole è stato interrogato a lungo e alla fine ha detto tutto ciò che sapeva. ☐
- Quel cantante in questo periodo ha un grandissimo successo. ☐

2 **Nelle seguenti frasi ci sono espressioni metaforiche che utilizzano la parola *occhio*. Provo a spiegarne il significato.**

- Ho svolto l'esercizio in un batter d'occhio = in pochissimo tempo.
- Quel vestito è molto bello, ma costa un occhio = ...
- Quei ragazzi vanno tenuti d'occhio = ...
- A occhio e croce sarà alto un metro e mezzo = ...
- Il campo di grano si estende a perdita d'occhio = ...
- Occhio al semaforo! = ...
- Ne parleremo a quattr'occhi = ...

3 **Formo due frasi in cui ciascuna parola è usata nel significato reale [R] e in quello figurato [F].**

luna

R la luna illumina la notte

F avevo la luna di traverso

stella

R ....

F ....

sacco

R ....

F ....

fiume

R ....

F ....

CONSIGLIO!

Sul dizionario, preceduti dall'abbreviazione "fig." puoi trovare i vari significati figurati di ciascuna parola.

ORA SO...

Comprendere e usare espressioni metaforiche.

Fabbricare parole: prefissi e suffissi

RICORDA!

Con l'aggiunta di prefissi (gruppi di lettere aggiunte davanti alla radice di una parola) e di suffissi (gruppi di lettere aggiunte dopo la radice di una parola), da una parola se ne possono derivare altre:

pasta ⟶ impastare

prefisso radice suffisso

1 Completo la tabella. Per ciascun termine scrivo la parola da cui deriva e indico se la derivazione è avvenuta attraverso l'aggiunta di prefisso, suffisso o entrambi. Osservo l'esempio.

parola	parola da cui deriva	con aggiunta di prefisso	con aggiunta di suffisso	con aggiunta di entrambi	significato
allacciato	laccio			X	chiuso con un laccio
ingrassare					
incolpare					
imbustare					
burattinaio					
allattare					
schiarire					

2 Per ogni parola base scrivo parole derivate, aggiungendo prefissi o suffissi.
Poi ne spiego il significato sul quaderno.

terra, interrare, terrestre, ...

colore ....

barba ....

carta ....

coraggio ....

CONSIGLIO!

Sono tutti nomi, pensa ad aggettivi, verbi o altri nomi che possano derivare da questi.

ATTENZIONE!

Con suffissi e prefissi, soprattutto di origine latina o greca, sono state create moltissime parole nuove, anche recenti: idro(acqua) + massaggio = idromassaggio.

3 Cerco sul dizionario il significato dei seguenti prefissi e suffissi. Poi scrivo sul quaderno il maggior numero di parole che li contengono e ne spiego il significato.

idro-   auto-   -poli   -teca

ORA SO...

Riconoscere e produrre parole formate da prefissi e suffissi.

Per esprimersi meglio

1 Sostituisco dare con uno dei verbi dell'elenco.

attribuire • concedere • consegnare • cedere • fornire • prestare

- Matilde mi ha (dato) .... il suo posto.
- La maestra ci ha (dato) .... mezz'ora in più per la prova.
- Un signore mi ha (dato) .... tutte le indicazioni per arrivare al Duomo.
- Gli hanno (dato) .... un buffo soprannome.
- Il postino mi ha (dato) .... un grosso pacco.
- Non devi (dare) .... ascolto a chi ti dà cattivi consigli.

2 Sostituisco fare con uno dei verbi dei riquadri.

fare un problema →	svolgere
fare un tema →	spiccare
fare un danno →	tracciare
fare un salto →	stringere
fare un patto →	compiere
fare una linea →	risolvere
fare il proprio dovere →	prestare
fare un pacco →	percorrere
fare un giuramento →	pronunciare
fare attenzione →	confezionare
fare la strada →	arrecare

3 Scrivi una frase per ciascuno di questi verbi.

contemplare ....

osservare ....

scrutare ....

avvisare ....

svolgere ....

Sul quaderno scrivo un dialogo in cui uso tutti i seguenti sinonimi di *dire*: chiedere - rispondere - annuire - obiettare - aggiungere - concludere.

ORA SO...

Riconoscere e usare sinonimi di alcuni verbi di largo uso.

Saper usare le parole giuste

1 Sostituisco il verbo *prendere* con un altro più adatto.

- (prendere) un frutto da un ramo ....
- (prendere) un pesce ....
- (prendere) un caffè ....
- (prendere) per un braccio ....
- (prendere) un malvivente ....

2 Scrivo da quale parola deriva ciascuna delle seguenti parole.

- avvicinare ....
- svecchiare ....
- bilinguismo ....
- travasare ....
- sterrato ....
- dimagrire ....
- consanguineo ....
- decaffeinato ....
- sbaciucchiare ....
- impagliare ....

3 Scelgo fra quelli scritti nei riquadri i significati delle seguenti espressioni metaforiche e li scrivo al posto giusto.

capire e far finta di niente	essere sul punto di litigare
essere uno spendaccione	non volersi occupare di qualcosa

- avere le mani bucate ....
- venire ai ferri corti ....
- mangiare la foglia ....
- lavarsene le mani ....

4 Scrivo accanto a questi termini di linguaggi specialistici a quale disciplina appartengono e per ciascuna parola scrivo una frase.

- dribblare ....
- cliccare ....
- terapia ....

5 Scrivo cinque parole straniere che conosco e che uso comunemente.

....

....

....

....

....

6 Sottolineo in rosso le parole che non si usano più e in blu le parole nate da poco.

imperocché • antenna satellitare
damigella • fellone • cibernetica • euro
zolfanello • laser

Discorso diretto e indiretto

Il discorso diretto riporta le parole dei personaggi, così come vengono pronunciate. Spesso è introdotto dai due punti e si scrive tra virgolette ("...") o da due punti e una lineetta (: –).
Il discorso indiretto riporta il significato di quanto viene detto, non le parole precise di chi parla. In genere è introdotto dalle parole **di, se, che, a**.

1 **Leggo e poi scrivo il dialogo tra i due personaggi. Uso il discorso diretto.**

Simone si rivolge a un vigile e chiede informazioni su dove può trovare una farmacia.
Il vigile gli dà le indicazioni richieste.

Simone chiede a un vigile: ....

....

Il viglie risponde: ....

....

2 **Trasformo i discorsi indiretti in discorsi diretti.**

- La maestra ci ha ordinato di metterci in fila per due.

  ....

- La mamma raccomanda a Jadira di coprirsi bene perché fa freddo.

  ....

- Ho chiesto alla cassiera se il film era già iniziato e lei mi ha risposto che c'era ancora la pubblicità.

  ....

  ....

- Duccio mi ha proposto di andare con lui alla pista di pattinaggio.
  Io gli ho risposto che dovevo chiedere il permesso alla mamma.

  ....

  ....

3 **Riscrivo i dialoghi sul quaderno trasformando i discorsi diretti in discorsi indiretti.**

- La fatina chiese a Cenerentola : – Perché piangi?
  – Piango perché non posso andare alla festa – rispose Cenerentola.
  Poi aggiunse: – Non ho il vestito!
  La fatina allora le ordinò: – Portami quattro topolini e una zucca!

- La mamma consegnò un cestino a Cappuccetto Rosso dicendo:
  – Portalo alla nonna!
  – Sono contenta di andare a trovare la nonna – disse Cappuccetto.
  La mamma le raccomandò: – Non passare dal bosco!

ORA SO...
Usare il discorso diretto; trasformare il discorso diretto in indiretto e viceversa.

La punteggiatura

Il punto (.) indica una pausa lunga e conclude una frase.
La virgola (,) si usa per separare le parole di un elenco, una serie di azioni, un'informazione dal resto del discorso.
Il punto e virgola (;) si usa per spezzare una frase troppo lunga.
I due punti (:) introducono un elenco, una spiegazione, il discorso diretto.
Il punto esclamativo (!) si usa per esprimere meraviglia, stupore, emozione.
Il punto interrogativo (?) si usa nelle domande.

1 Ricopio sul quaderno il brano e inserisco nei punti indicati con la barra i seguenti segni di punteggiatura: ? ! . , :.

CONSIGLIO!
Questi segni ! : li devi usare solo una volta e questo ? due sole volte. Metti la maiuscola dopo il punto!

L'orco

C'era una volta un giovane orco/uno degli ultimi rimasti sulla terra/era assai triste e si sentiva solo e affamatissimo perché non riusciva più a mangiare i bambini/questi piccoli demoni erano diventati così abili e astuti che spesso doveva lui/grande e grosso com'era/sfuggire alle loro prepotenze/
già/poteva essere questa un'ottima occasione per diventare buono e paziente/ma chi gli avrebbe creduto/
un orco/si sa/è un orco/che cosa ne sarebbe stato di lui/decise allora di andare per sempre in letargo/in una profonda cavità della terra/nessuno seppe più nulla di lui... Ma ho sentito dire/da un uomo molto vecchio/che quando l'orco si rigira nel sonno provoca terremoti.

C. Sironi, *L'omino di cristallo*, Campanotto

2 Ricopio sul quaderno il brano inserendo i segni di punteggiatura mancanti.

CONSIGLIO!
Leggi ad alta voce il testo: le intonazioni e le pause ti aiutano a capire quale segno devi usare.

Il corvo e la volpe

Un corvo aveva rubato un pezzo di formaggio e volendo mangiarselo tranquillamente si posò sul ramo di un albero una volpe lo vide e cominciò a lodarlo di parole che piume splendide hai che becco che ali meravigliose se tu avessi anche il canto nessun uccello potrebbe superarti e quello stolto ci cascò si mise a cantare a gran voce e lasciò cadere il formaggio che rapidamente l'astuta volpe afferrò allora il corvo ingannato cominciò a piangere.

Esopo, Fedro, *Favole senza tempo*, Giunti

ORA SO...
Conoscere e usare i segni di punteggiatura.

Punti di vista...

1 Ecco un racconto in cui i fatti sono narrati dal punto di vista di un gatto. Lo leggo con attenzione.

CONSIGLIO!
Con l'espressione "botolo pensionato" si vuole indicare un gatto grasso e vecchio.

I guinzagli non sono roba da gatti...

La donna grassa era gentile con me. Mi accarezzava spesso e mi grattava dietro le orecchie. Questo era molto piacevole. E nel soggiorno della donna vecchia c'era una stufa di maiolica con vicino una panchetta per stare al calduccio. Per un botolo pensionato, la vita presso la donna vecchia e grassa sarebbe stata la felicità. Ma io sono un gatto giovane!
Così, molto più della panchetta calda o delle carezze, mi interessava il giardino. Nel giardino c'era un ciliegio su cui veniva spesso a posarsi un uccello. E c'era anche un'aiuola fiorita dove ogni tanto veniva a passeggiare un topo. Qual è il gatto che non si interessa di uccelli e di topi? Io me ne stavo accovacciato, aspettando che comparisse l'uccello o il topo. E questo non piaceva alla donna vecchia che mi sgridava. Non si può pretendere che una vecchia capisca l'istinto di caccia dei gatti. Ma neppure si può pretendere che un gatto giovane impari a pensare come una vecchia. Perciò io mugolavo forte e raspavo sui vetri della finestra o sul legno della porta per far capire che dovevo assolutamente uscire in giardino.

Allora la donna vecchia e grassa mi legava una corda intorno al collo e mi portava ai giardinetti.
Chi è legato a una corda non può cacciare i topi e neanche gli uccelli.
I guinzagli di corda non sono roba da gatti! Perché i gatti non sono cagnetti da compagnia!

C. Nöstlinger, *Un gatto non è un cuscino*, Piemme

2 Rispondo.

- Con chi viveva il gatto? ....
- Quali delle cose che faceva la vecchia signora gli piacevano? ....
....
- Perché era interessato al giardino? ....
....
- In che modo lo dimostrava? ....
....
- Che cosa faceva allora la vecchia signora? ....
....
- Che cosa pensava il gatto di questa cosa? ....
....

3 Continuo il racconto. Immagino di essere il gatto e spiego in che modo un bel giorno riesco a scappare, divento il gatto di un bambino e come la mia vita cambia.

Per fortuna ....

4 Rileggo il racconto e la conclusione che ho scritto. Li riscrivo dal punto di vista della vecchia signora.

Sono una vecchia signora e vivo da sola. Un tempo avevo un bel gatto. Mi piaceva accarezzarlo e grattarlo dietro le orecchie ....

ORA SO...

Comprendere il punto di vista da cui è narrato un racconto; completare un racconto e riscriverlo cambiando il punto di vista da cui vengono narrati i fatti.

Descrivere situazioni: comportamenti e stati d'animo

Sera di paura

Anton avrebbe voluto avere a portata di mano la bottiglia di succo di mele che era in frigorifero. Attraverso il corridoio buio, raggiunse la cucina e prese la bottiglia dal frigorifero. Tese l'orecchio per controllare se, per caso, fosse cominciato il giallo.
Una voce di donna diceva qualcosa: probabilmente annunciava l'inizio del film. Anton si mise la bottiglia sotto il braccio e partì al galoppo. Ma non andò lontano. Già dal corridoio si rese conto che c'era qualcosa di strano. Si fermò in ascolto... All'improvviso capì: la voce dell'annunciatrice non si sentiva più. Poteva significare solo una cosa: qualcuno era entrato in camera sua e aveva spento il televisore! Anton sentì il cuore fare un balzo e cominciare a battere all'impazzata; uno strano pizzicorino gli salì dallo stomaco fino in gola. Aprì lentamente la porta della camera. Udì uno strano fruscio che sembrava provenire dalla finestra: dietro la finestra non c'era forse un'ombra che si profilava al chiarore della luna? Lentamente, con le ginocchia tremanti, si avvicinò. Anton si fermò impietrito: sul davanzale c'era qualcosa che lo fece rimanere a bocca aperta. Qualcosa di così spaventoso che credette di stare per cadere stecchito. Due occhi venati di sangue lo fissavano da un volto bianco come un lenzuolo, e una grande bocca rossa si aprì rivelando denti bianchissimi appuntiti come pugnali. Anton sentì i capelli rizzarglisi sulla testa; il sangue gli si gelò nelle vene. Era la cosa più spaventosa che Anton avesse mai visto! Un vampiro!

A. Sommer Bodenburg, *Vampiretto*, Salani

1 Rispondo e completo.

- Qual è lo stato d'animo del protagonista di questo brano? ....

....

- Nel brano sono state sottolineate le parole che esprimono bene lo stato d'animo in cui si trova il protagonista. Le trascrivo nella tabella nello spazio giusto.

Le azioni	Le sensazioni fisiche
....	....
....	....
....	....
....	....
....	....
....	....
....	....
....	....

2 Ecco la descrizione di alcuni comportamenti e sensazioni. Quali stati d'animo mettono in evidenza? Collego.

Camminava su e giù per il corridoio con le mani dietro la schiena, le sopracciglia aggrottate. Ogni tanto si prendeva il mento tra le mani e sbuffava.

Mi tremavano le mani e avevo la gola secca. Provai a parlare, ma la voce mi uscì fioca e nessuno riuscì a capire quello che dicevo. Avrei voluto sprofondare!

agitazione — rabbia — serenità — timidezza

Sembrava una iena: gli occhi fuori dalle orbite, il volto paonazzo, le vene del collo ingrossate nello sforzo di gridare.

Una bellissima sensazione mi invase: mi sembrava che qualcosa si sciogliesse dentro di me; voltai lentamente lo sguardo intorno e sorrisi.

3 Ripenso a una situazione in cui ho provato una o più forti emozioni: felicità, preoccupazione e poi contentezza, rabbia, delusione, ansia e poi soddisfazione... Racconto seguendo la traccia.

Descrivo brevemente la situazione; spiego che cosa ho fatto; dov'ero; chi c'era con me e che cosa sentivo dentro di me; che cosa hanno fatto gli altri; che cosa dovevo fare o che cosa è accaduto...

....

....

....

....

....

....

....

....

....

....

....

....

....

....

CONSIGLIO!

Per descrivere gli stati d'animo e i comportamenti tuoi e degli altri usa espressioni figurate e similitudini.

ORA SO...

Riconoscere le espressioni che descrivono uno stato d'animo; descrivere una situazione.

Scrivere un racconto d'avventura

1 Ecco l'inizio di un racconto d'avventura. I protagonisti sono due ragazzi che si avventurano in un passaggio segreto sotto una grande scogliera. Leggo con attenzione e lo completo seguendo la traccia.

CONSIGLIO!

Inserisci nella narrazione descrizioni dell'ambiente mettendo in evidenza gli elementi misteriosi. Racconta le azioni con frasi brevi, descrivi gli stati d'animo dei protagonisti.

Tobia e Martina procedevano per mano, stretti nei loro giubbotti, attenti a non inciampare. Tobia accese la torcia per farsi strada nello stretto passaggio. La luce proiettava le loro ombre sulle pareti disegnando delle figure gigantesche e mostruose. L'aria era impregnata da un odore di muffa, di umidità e si sentiva in lontananza un leggero e ritmico gocciolare. La luce della torcia illuminò, sulla sinistra, un corridoio ancor più stretto e molto più basso di quello che stavano percorrendo: sembrava molto lungo.
– Guarda! – sussurrò Martina. – Sembra ci sia una luce là in fondo!
Tobia spense la torcia. In fondo allo stretto cunicolo un leggero chiarore si disegnava sul soffitto. Il cuore di Martina batteva all'impazzata. La ragazza strinse la mano di Tobia: le sembrò fredda e sudata.
Ma nessuno dei due esitò: lentamente si diressero verso quel chiarore.

- Che cosa c'è in fondo al cunicolo? Che cosa fanno i due ragazzi? Come si conclude la loro avventura? Scrivo un lieto fine.

....

....

....

....

....

....

....

....

....

....

....

....

....

....

ORA SO...

Scrivere un racconto d'avventura.

L'ultimo libro che ho letto

1 Completo la scheda inserendovi i dati dell'ultimo libro che ho letto.

Titolo: ....

Autore: ....

Collana: ....

Casa editrice: ....

Genere letterario:

- ☐ Diario
- ☐ Avventura
- ☐ Fantascienza
- ☐ Divulgazione
- ☐ Giallo
- ☐ Fiabe o favole
- ☐ Raccolta di racconti
- ☐ Romanzo realistico

Argomento: ....

....

....

Altro: ....

Protagonista e personaggi: ....

....

....

Caratteristiche: ....

....

Luogo/luoghi della vicenda: ....

....

Breve sintesi: ....

....

....

....

Il mio giudizio: ....

....

....

....

....

A chi lo consiglio: ....

....

ORA SO...

Presentare e fare la recensione di un libro letto.

A proposito di...

In un testo argomentativo l'autore affronta un argomento spesso presentato sotto forma di problema. Espone le sue opinioni su di esso e cerca di motivarle con argomentazioni valide.
Se necessario, propone delle soluzioni al problema stesso.

1 Leggo il testo.

Presto che è tardi e 24 ore non mi bastano!

L'arrivo della scuola cambia i ritmi della giornata. C'è chi corre, chi rallenta, chi si perde nei compiti, o nella noia. L'istruzione è impegnativa, e da settembre a giugno non c'è verso, la Torta del Tempo prevede che: ci si alzi verso le 7; si stia in classe dalle 8 alle 13; spesso si ritorni nel pomeriggio, o comunque si dedichi tempo ai compiti.
Riprendiamo il conto: in un giorno ci sono 24 ore, ne togliamo 9 per la nanna, ancora 5 per la scuola e 3 per i compiti. Siamo rimasti a 7. Togliamone ancora 3 per i tre pasti, 4 sono le ore "libere" che vi attendono.
Come impiegarle? Le soluzioni si sprecano. Di solito, i ragazzi sono stracolmi di impegni: lo sport, prima di tutto (uno qualunque, praticato almeno due volte a settimana); magari un corso extrascolastico (una lingua straniera, il teatro, il laboratorio di pittura, la chitarra); poi ci sarebbe il catechismo per la Cresima, e pure un secondo sport. Poi la nonna da visitare. Infine la tv, che reclama attenzione, insieme a Internet, alla messaggistica istantanea, al cellulare e allo stereo: bisognerà pure parlare con gli amici e ascoltare musica!
Possibile riuscire a seguire tutte queste attività senza perdersi per strada?
Sì, se uno corre come il centometrista Usain Bolt, perché tic-tac-tic-tac il tempo vola e non si ferma. Spieghiamoci meglio: se uno si abitua a correre, alla fine non si ricorderà il motivo per il quale era partito! La scuola per nove mesi l'anno regola la giornata, ma sta a voi impegnarvi perché nelle ore rimanenti il tempo sia speso con valore e qualità. Senza accelerare troppo, ma nemmeno facendo i bradipi.
Alcuni si dedicano per esempio allo sport con una foga incredibile, e poi si ritrovano a non avere tempo da dedicare agli amici, e trascurano anche i compiti. Altri, al contrario, si perdono in un dolce far niente, e passano dal computer alla tv, dalla playstation agli sms, sempre restando in ciabatte. E si chiudono talmente tanto nella loro noia, che qualunque proposta venga loro fatta non viene nemmeno presa in considerazione.

Ecco qualche utile consiglio per trascorrere le giornate con intelligenza:

- ogni giorno è importante e unico, non va mai sprecato;
- non dovete avere paura delle ore non "coperte" dal fare, c'è anche il tempo del pensare;
- non correte per forza dietro a mille attività; sceglietene, con papà e mamma, alcune, e poi portatele avanti con passione e impegno;
- se un giorno siete stufi e volete lasciar perdere tutto, fatelo, basta che non diventi un'abitudine alla pigrizia.

da "Il Giornalino online", n° 39, 31 dicembre 2009

2 Sottolineo nel testo le parole che non conosco, cerco il significato sul dizionario e lo scrivo sotto.

....

....

....

3 Rispondo scegliendo con una ✗ fra le alternative offerte.

• Quale problema dei ragazzi viene affrontato in questo testo?

☐ Come impiegare bene il poco tempo libero che rimane nella giornata, nel periodo in cui c'è scuola.

☐ Come riuscire a praticare bene uno sport, tenendo conto di tutti gli altri impegni che ci sono durante la giornata.

• Qual è l'opinione dell'autore riguardo all'argomento affrontato?

☐ Bisogna impegnarsi per trovare un giusto equilibrio fra il comportamento di chi corre troppo e di chi si trascina nel non far niente.

☐ Bisogna correre per fare tutto quello che c'è da fare senza sprecare tempo.

4 Per motivare la sua opinione l'autore analizza due comportamenti tipici dei ragazzi nel tempo libero che hanno a disposizione. Quali? Completo.

Ci sono i "centometristi" che..........

....

Ci sono i "bradipi" che ....

....

5 Ricerco nel testo e sottolineo le parole che spiegano perché, secondo l'autore, l'atteggiamento di questi ragazzi è sbagliato.

6 Quali consigli dà l'autore per riuscire a risolvere il problema affrontato nel testo? Li cerco nel testo e li sintetizzo brevemente.

1 ....

2 ....

3 ....

4 ....

ORA SO...

Leggere e comprendere un testo argomentativo.

Esprimere opinioni

1 **Rileggo il testo della pagina precedente, rifletto sulla mia esperienza ed esprimo la mia opinione sull'argomento. Seguo la traccia.**

1. Come trascorro il tempo libero che mi rimane dagli impegni scolastici: frequento dei corsi, uno o più sport...
2. Che cosa penso al riguardo: gli impegni sono troppi perché... Vorrei averne di più perché... Ci sono delle cose che faccio e non vorrei fare... Ci sono delle cose che non faccio e vorrei fare... Quali e perché?
3. Qual è il comportamento dei miei genitori al riguardo: mi costringono a fare certe cose... Mi vietano di fare certe cose... Perché?
4. Mi sento più un bradipo o un centometrista? O mi sembra invece di gestire bene il mio tempo libero? Perché?
5. Vorrei cambiare le mie abitudini o secondo me va bene come mi comporto?

ORA SO...

Scrivere un testo argomentativo.

Scrivere un testo regolativo

1 Ecco un testo che spiega come si svolge un gioco. Lo leggo con attenzione e inserisco negli spazi giusti i seguenti titoletti.

Regole	Organizzazione dei giocatori e degli spazi	Obiettivo del gioco

Palla prigioniera

....

I giocatori sono divisi in due squadre di almeno quattro giocatori ciascuna. Si affrontano su un campo di gioco rettangolare diviso in quattro fasce di grandezza diversa, due più grandi al centro e due più piccole in cima e in fondo.

....

A inizio partita i giocatori delle due squadre si posizionano nelle fasce centrali. A turno, uno dei componenti di una squadra deve lanciare la palla nel campo avversario. Se uno degli avversari afferra la palla lanciata prima che questa tocchi terra, il lanciatore viene "fatto prigioniero" e si deve spostare nella fascia più piccola, dietro ai giocatori della squadra che ha messo a segno il colpo. Per liberarsi, il prigioniero deve riuscire a prendere la palla che gli lanciano i componenti della sua squadra.

....

Vince la squadra che riesce a catturare tutti gli avversari, oppure, se si stabilisce un tempo massimo di gioco, quella che, allo scadere del tempo, ha più avversari prigionieri.

2 Utilizzando lo schema del testo proposto, scrivo un testo regolativo in cui spiego un gioco che conosco.

....

....

....

....

....

....

....

....

....

....

....

ORA SO...

Comprendere e scrivere un testo regolativo.

Una cronaca giornalistica

Un articolo di cronaca è impostato secondo una precisa struttura e contiene informazioni che rispondono alle cinque domande: *Chi? Che cosa? Dove? Quando? Perché?* (le cinque W: *Who? What? Where? When? Why?*)

1 Leggo l'articolo.

La decisione adottata dal Comune. Sono esonerati dal blocco le forze dell'ordine, i Vigili del fuoco, i medici, i tassisti, i sacerdoti, i giornalisti e chi si deve sposare

Milano chiusa per lo smog che ha superato ogni limite

MILANO - C'è il blocco totale della circolazione delle auto oggi nella capitale lombarda, dalle 10 alle 18. Tutti a piedi, dunque, in una domenica fredda, per la decisione del Comune di fermare tutti i veicoli a motore, con l'eccezione dei mezzi a propulsione elettrica o a gpl, adottata dal Comune per l'elevato livello raggiunto nella concentrazione delle polveri sottili, dannose per la salute. Oltre ai veicoli a impatto zero, potranno però circolare i disabili e i malati in terapia, chi "è direttamente interessato" da battesimi o matrimoni e i mezzi di alcune categorie professionali, data l'utilità pubblica del loro servizio, come le forze dell'ordine, i vigili del fuoco, i tassisti, i giornalisti, i medici, i sacerdoti. Per motivi di sicurezza, il blocco del traffico, tra le 13 e le 15 e dalle 16,30 e alle 18, sarà sospeso nelle vie di accesso allo stadio di San Siro, dove oggi pomeriggio si giocherà la partita Milan-Livorno.

da "La Repubblica", 31 gennaio 2010

2 Evidenzio nell'articolo con una barra laterale colorata:

di rosso l'occhiello — di verde il titolo

di giallo il contenuto — di blu la località in cui si sono svolti i fatti

CONSIGLIO!
L'occhiello è la breve scritta sopra il titolo

3 Rispondo scegliendo con una X.

Di quale argomento si parla nell'articolo?

☐ Dello smog a Milano. ☐ Della chiusura al traffico di Milano.

4 Rispondo.

- Quando avvengono i fatti di cui si parla?

  ....

- Dove? ....

  ....

- Chi/che cosa è coinvolto nell'iniziativa? ....

  ....

  ....

- Chi ne è escluso? ....

....

....

- Qual è lo scopo dell'iniziativa? ....

....

5 Completo la mappa inserendo sinteticamente le informazioni del testo che permettono di rispondere alle cinque domande.

WHO? Chi sono i protagonisti?

....
....
....
....

WHAT? Che cosa è successo?

....
....
....
....

WHEN? Quando?

....
....
....
....

WHY? Perché?

....
....
....
....

WHERE? Dove?

....
....
....
....

6 Adesso rileggo il titolo e l'occhiello e rispondo scegliendo con una X.

- A quali domande della mappa viene data una risposta sintetica nel titolo?

☐ Che cosa è accaduto?
☐ Perché?
☐ Quando avvengono i fatti?
☐ Dove?
☐ Chi sono i protagonisti?

- A quali domande della mappa viene data una risposta sintetica nell'occhiello?

☐ Che cosa è accaduto?
☐ Perché?
☐ Quando avvengono i fatti?
☐ Dove?
☐ Chi sono i protagonisti?

7 Rileggo il contenuto dell'articolo ed evidenzio la sintesi iniziale, cioè la parte in cui si riassume brevemente ciò di cui si parla.

ORA SO...

Leggere e comprendere una cronaca giornalistica.

Ricostruisco e scrivo una cronaca giornalistica

1 Ecco un articolo di cronaca che è stato smontato. Lo riordino numerando le varie parti. Poi scrivo un titolo e un occhiello.

Occhiello: ....

....

Titolo: ....

....

☐ I ladri hanno prima aperto la porta blindata della cantina del palazzo con dei grimaldelli e poi con pistoni idraulici hanno fatto un buco nel soffitto da cui sono saliti nel negozio.

☐ A questo punto hanno disattivato l'ultratecnologico sistema di allarme. Infine con una lancia termica hanno tagliato gli armadi blindati e la cassaforte. Anche gli espositori della vetrina sono stati svuotati.

☐ Aosta

☐ Un colpo da svariate centinaia di migliaia di euro commesso la notte scorsa ai danni della gioielleria "Oro Antico", a Courmayeur, uno degli indirizzi di prestigio della clientela vip della località della Valle d'Aosta. Tra gli oggetti rubati diamanti, orologi di marca, collier, anelli e gioielli antichi.

☐ Ad accorgersi del furto, questa mattina, è stata la commessa del negozio che immediatamente ha chiamato i carabinieri. Gli inquirenti ritengono che si tratti di una banda di professionisti provenienti da fuori valle.

☐ Nessuno ha sentito nulla: il palazzo è abitato in genere da turisti che frequentano Courmayeur nel fine settimana.

Adatt. da "La Repubblica", 26 gennaio 2010

2 Scrivo sul quaderno un articolo di cronaca a partire dall'occhiello e dal titolo.

Successo dell'iniziativa promossa dal Consiglio di Circolo della scuola G. Pascoli. Più di 400 bambini accompagnati dalle insegnanti impegnati a ripulire il parco fluviale. Le congratulazioni del sindaco e un premio per tutta la scuola.

Caro parco, ti vogliamo così

CONSIGLIO!

Apri l'articolo con una breve sintesi e ricordati di rispondere alle 5 domande che trovi a pag. 82. Scrivi frasi chiare e brevi.

ORA SO...

Scrivere una cronaca giornalistica.

Il testo espositivo: dalle parole-chiave alla sintesi

Per sintetizzare un testo espositivo si possono sottolineare le parole-chiave e con queste costruire brevi frasi. Collegando opportunamente le frasi si ottiene un nuovo testo che sintetizza il primo.

1 Leggo il testo. Poi utilizzo le parole-chiave evidenziate per scrivere a fianco di ciascuna parte del testo una breve frase che la sintetizza.

Dal freddo al caldo

Nei diversi Paesi del mondo troviamo ogni tipo di clima. Talvolta le temperature sono estreme e per resistere ci vuole l'abbigliamento giusto.

....
....

In Ghana le bambine indossano il pagne, un grande rettangolo di cotone. Le madri lo utilizzano per portare il neonato sulla schiena e proteggerlo dal sole. Quando il figlio, ormai grande, abbandona il villaggio, la madre gli consegna il pagne che lei indossava quando lo allattava. Con questo gesto gli consegna un po' della sua infanzia che il giovane porterà sempre con sé.

....
....
....
....

Al Polo Nord, dove per lunghi periodi non si vede il sole, oggi i bambini indossano, al posto dei vestiti tradizionali, giacche a vento.

....
....
....

Ma per migliaia di anni le donne Inuit hanno fabbricato gli indumenti utilizzando pelli di renna o caribù: dalle mutande alla camicia e perfino agli stivali. Un tempo non c'era niente di meglio della pelliccia per resistere ai 40° sotto zero che raggiungeva la temperatura in inverno. Fin da piccolissime le ragazzine imparavano a cucire: non era facile imparare a dare punti di cucito talmente stretti da impedire all'aria glaciale di penetrare attraverso gli indumenti.

....
....
....
....
....

2 Collego le frasi che ho scritto in modo da ottenere la sintesi del testo.

....
....
....
....

ORA SO...

Sintetizzare un testo utilizzando le parole-chiave.

Prendere appunti e schematizzare

Prendere appunti da un testo significa sottolineare le parole-chiave in modo da ricordare i principali concetti espressi. Può essere utile organizzare gli appunti in schemi che aiutano a esporre o sintetizzare per scritto il contenuto del brano.

1 Leggo il testo e sottolineo le parole-chiave.

I beduini

La parola "beduino", in arabo *badawi*, significa abitante del deserto. I beduini sono una popolazione nomade che vive appunto nelle zone desertiche, spostandosi lungo piste tracciate fra sabbia e pietre, per commerciare nei villaggi o per pascolare mandrie di cammelli o greggi di capre. La casa del beduino è la tenda (*khaima*), fatta di strisce di stoffa tessute con lana di capra o pelo di cammello cuciti insieme. L'interno è diviso in tre zone: una riservata alla famiglia, una ai soli uomini e una alla vita sociale. Il focolare è al centro e il pavimento è coperto di stuoie, tappeti e pelli di animale. Il capo della tribù nomade si chiama sceicco, che significa "il più anziano". Il sultano invece è l'equivalente del re, mentre il califfo è il capo politico e spirituale considerato erede e successore di Maometto. Presso i beduini la condizione femminile è molto dura, ma più libera che nelle città. In alcune tribù le donne sono le uniche a saper leggere e scrivere e possono intervenire nelle questioni di interesse comune. Raramente, inoltre, portano il velo. Per i beduini è obbligatorio offrire all'ospite tre giorni di ospitalità: il primo è dedicato al saluto, o *salaam*, il secondo al cibo (*ta'am*) e il terzo alla conversazione (*kalam*). Il legame dell'ospitalità è così importante che persino un nemico, se ha diviso il cibo di un uomo della tribù e dormito nella sua tenda, dovrà essere protetto e aiutato. Un beduino gode della stima altrui non per quello che possiede, ma per come si comporta con gli ospiti e gli amici.

F. Lazzarato, V. Ongini, *L'erede dello sceicco*, Mondadori

2 A partire dalle parole-chiave completo uno schema di sintesi del testo.
Poi lo utilizzo per fare sul quaderno la sintesi scritta.

Chi sono e dove vivono	Le attività economiche	I capi
....	....	....
....	....	....
....	....	....
....	....	....
....	....	....

ORA SO...
Individuare le parole-chiave in un testo; costruire uno schema e utilizzarlo per sintetizzare il testo.

Scrivere un articolo di cronaca e un testo argomentativo

1 Osservo la scheda e scrivo un articolo di cronaca che contenga queste informazioni.

Who?	Chi sono i protagonisti?	Adulti e bambini della città
What?	Che cosa è successo?	Un torneo di giochi da tavolo
Where?	Dove?	A Viareggio, in piazza Mazzini
When?	Quando?	Domenica 16 maggio 2010
Why?	Perché?	Raccogliere fondi per la casa di riposo Comunale

(Occhiello)

....

....

(Titolo)

....

(Testo)

....

....

....

....

....

....

2 Ecco il titolo di un testo argomentativo.

La vita in città è da preferirsi a quella in campagna?

- Completo lo schema per svolgere il testo, poi scrivo il testo sul quaderno.

Problema: ....

La mia ipotesi: ....

....

....

Argomenti che sostengono la mia ipotesi:

1. ....
2. ....
3. ....

So... comprendere e sintetizzare

1 Leggo il testo. Le parole sottolineate sono parole che non si usano più. Cerco il significato sul dizionario.

Una brutta sorpresa al Campo dei miracoli

Il seguente brano è tratto dal celebre romanzo "Pinocchio". Il burattino ha seminato al Campo dei miracoli cinque monete d'oro. Ritorna al campo per vedere se, come avevano promesso il Gatto e la Volpe, è spuntato l'albero carico di monete.

Il burattino, ritornato in città, cominciò a contare i minuti a uno a uno; e, quando gli parve che fosse l'ora, riprese subito la strada che menava al Campo dei miracoli.
E mentre camminava con passo frettoloso, il cuore gli batteva forte e gli faceva tic, tac, tic, tac, come un orologio da sala, quando corre davvero.
E intanto pensava dentro di sé:
– E se invece di mille monete, ne trovassi sui rami dell'albero duemila? ... E se invece di duemila ne trovassi cinquemila? ... E se invece di cinquemila ne trovassi centomila? Oh che bel signore, allora, diventerei! ... Vorrei avere un bel palazzo, mille cavallini di legno per potermi baloccare, una cantina di rosoli e di alchermes, e una libreria tutta piena di canditi, di torte e di panettoni, di mandorlati e di cialdoni con la panna.
Così fantasticando, giunse in vicinanza del campo, e lì si fermò a guardare se per caso avesse potuto scorgere qualche albero coi rami carichi di monete: ma non vide nulla. Fece altri cento passi in avanti, e nulla: entrò sul campo... Andò proprio su quella buca dove aveva sotterrato i suoi zecchini, e nulla. Allora diventò pensieroso e, dimenticando le regole della buona creanza, tirò fuori una mano di tasca e si dette una lunghissima grattatina di capo.
In quel momento sentì fischiare negli orecchi una gran risata: e, voltatosi in su, vide sopra un albero un grosso pappagallo che si spollinava le poche penne che aveva addosso.
– Perché ridi? – gli domandò Pinocchio con voce di bizza.
– Rido, perché nello spollinarmi, mi sono fatto il solletico sotto le ali.
Il burattino non rispose. Andò alla gora e, riempita d'acqua la solita ciabatta, si pose nuovamente ad annaffiare la terra che ricopriva le monete d'oro.
Quand'ecco che un'altra risata, anche più impertinente della prima, risuonò nella solitudine di quel campo.
– Insomma – gridò Pinocchio, arrabbiandosi – si può sapere, pappagallo maleducato, di cosa ridi?
– Rido di quei barbagianni, che credono a tutte le scioccherie e che si lasciano trappolare da chi è più furbo di loro.
– Parli forse di me?
– Sì, parlo di te, povero Pinocchio, di te che sei così dolce di sale, da credere che i denari si possono seminare e raccogliere nei campi, come si seminano i fagioli e le zucche. Anch'io l'ho creduto una volta, e oggi ne porto le pene. Oggi (ma troppo tardi) mi sono dovuto persuadere che per mettere insieme onestamente pochi soldi, bisogna saperseli guadagnare col lavoro delle proprie mani o con l'ingegno della propria testa.
– Non ti capisco – disse il burattino, che già cominciava a tremare dalla paura.

– Pazienza! Mi spiegherò meglio – soggiunse il pappagallo. – Sappi dunque che, mentre tu eri in città, la Volpe e il Gatto sono tornati in questo campo: hanno preso le monete d'oro sotterrate, e poi sono fuggiti come il vento. E ora chi li raggiunge è bravo!

C. Collodi, *Pinocchio*, Giunti

2 Divido il brano in sequenze, le numero e assegno a ciascuna un titolo

....

....

....

....

....

3 Utilizzando i titoli delle sequenze, riassumo il racconto in non più di sei righe.

....

....

....

....

....

4 Fra le parole sottolineate nel testo ce n'è una che non si usa più perché non esiste più ciò che essa indica. La cerchio, trascrivo le altre e scrivo accanto a ciascuna da quale parola sono state sostituite.

....

....

....

....

....

5 Sottolineo le prime due battute del dialogo tra Pinocchio e il pappagallo e le trasformo in discorso indiretto.

....

....

....

....

....

6 Ricerco e sottolineo nel testo: in rosso i verbi al congiuntivo, in verde i verbi al condizionale, in giallo i verbi all'infinto, in blu i verbi al gerundio.

So... comprendere un testo narrativo-descrittivo

Non lo dimenticherò mai!

Il primo giorno di scuola non lo dimenticherò mai. Sono volute venire ad accompagnarmi, oltre alla mamma, zia Tilde e la nonna. Papà gliel'aveva detto: "Gli fate fare la figura dello scemo!", ma loro niente.
– Andiamo a vedere che ambiente è.
Quando siamo arrivati davanti all'aula c'era una specie di rivoluzione: il bidello si affacciava ogni tanto sulla soglia a gridare minacce e dentro i ragazzi facevano baldoria. La mamma non si decideva a lasciarmi la mano. Eravamo ormai sulla soglia dell'aula e i miei compagni hanno visto questa scena: io davanti, attaccato alla mamma, e dietro le facce di zia Tilde e della nonna che osservavano incuriosite.
Poi la mamma mi ha passato la cartella e si è chinata a darmi un bacio. Io avevo già capito che non era una situazione da baci; vada poi la mamma, ma il tragico è stato che anche zia Tilde e la nonna si sono chinate a baciarmi e a farmi le loro raccomandazioni.
Allora si è alzato nella classe una specie di ululato:
– Uhuuuuuu!!!!!
Zia Tilde è scattata come una molla:
– Che maleducati! – Ma io mi sono sentito tremare le ginocchia per la vergogna; non capiscono che non sono più nell'incubatrice?
Sono entrato rosso come un pomodoro e Gigi mi ha salvato.
– Ehi, Adalberto! Vieni qui, ti ho tenuto il posto.
Poi si è girato verso gli altri e li ha avvertiti.
– Adalberto è un amico.
L'ha detto bene, come può dirlo un capo, e gli altri sono stati zitti.

A. Nanetti, *Le memorie di Adalberto*, Edizioni EL

1 Lavoro sul testo seguendo le indicazioni.

- In questo racconto viene descritta una situazione dal punto di vista del protagonista, che esprime: ☐ paura ☐ vergogna ☐ imbarazzo ☐ timidezza

- Sottolineo nel testo, in colori diversi, i comportamenti dei seguenti personaggi che contribuiscono a far capire la situazione: il protagonista, le persone che l'accompagnano, i compagni.

- Nel testo ci sono un'espressione figurata e una similitudine che fanno capire lo stato d'animo del protagonista. Le trascrivo:

....

....

- Chi riesce a "sbloccare" la situazione? In quale modo?

....

So... descrivere una situazione

Un'esperienza che non scorderò facilmente

Ripenso a un'esperienza vissuta nei cinque anni della scuola primaria, in cui ho sentito delle emozioni particolari: gioia, serenità, imbarazzo, delusione, tristezza... e la racconto cercando di caratterizzare bene la situazione. Seguo la traccia.

1. Introduco dicendo perché quest'episodio è rimasto vivo nella mia memoria, come mi sono sentito in quella circostanza.
2. Spiego brevemente dove mi trovavo, chi c'era con me.
3. Racconto i fatti mettendo in evidenza i miei comportamenti e quelli degli altri.
4. Sottolineo le emozioni provate e le esprimo con espressioni efficaci (similitudini, espressioni figurate...).

So... prendere appunti da un testo informativo, organizzare le informazioni in uno schema e sintetizzare

Il filtro solare della Terra

Hai mai usato la crema solare? Te la spalmi al mare per evitare scottature, perché filtra i raggi dannosi del Sole. Forse non lo sai, ma anche la Terra ha una crema solare permanente. Si chiama strato di ozono e si trova in cielo, fra i 20 e i 50 chilometri d'altezza.
Senza questo strato che ci protegge saremmo davvero nei guai. All'inizio saresti felice per l'abbronzatura rapida, ma poi i raggi solari in eccesso provocherebbero gravi problemi: i raccolti verrebbero danneggiati dalle radiazioni e diminuirebbero, molte persone verrebbero colpite dal cancro alla pelle e dalle malattie agli occhi provocate dall'aumento dei raggi ultravioletti. In poche parole, senza la protezione dello strato di ozono, la Terra "si scotterebbe".
Purtroppo lo strato di ozono è in pericolo: pian piano lo stiamo distruggendo (c'è già un grosso buco) con l'uso di sostanze chimiche dannose. Fra le sostanze chimiche che lo distruggono ci sono quelle usate in alcuni spray, nei frigoriferi, nei condizionatori d'aria e nei contenitori per alimenti in plastica e in polistirolo. Usiamo grandi quantità di questi "mangia ozono" e distruggiamo così la protezione solare della Terra.

B. Savan, *Intorno al mondo in ecociclo*, Editoriale Scienza

....
....
....
....
....
....
....
....
....
....
....
....
....
....
....
....
....
....
....

1 Sottolineo nel testo le parole-chiave e le utilizzo per scrivere a margine brevi appunti.

2 Completo.

- Lo strato di ozono si trova ....
- Se non ci fosse lo strato di ozono ....
....
- Lo strato di ozono è in pericolo perché ....

3 Sintetizzo il testo in poche righe sul quaderno.

So... comprendere un testo narrativo-argomentativo

A settembre...

Ho salutato i miei compagni e ci siamo augurati a vicenda buone vacanze. Quasi tutti, a settembre, andremo nella stessa scuola media anche se, ovviamente, non ci troveremo insieme nella stessa classe. Comunque sia, continueremo a vederci con regolarità. Mario, invece, almeno finora, non è riuscito a convincere i suoi. Sono sempre intenzionati a mandarlo nella scuola del comune dove abitano, infischiandosi delle ragioni e dei desideri del figlio.
– I tuoi sono proprio decisi a non accontentarti? – gli ho chiesto con una voce che mi sforzavo di conservare normale, per non rattristare lui e me.
– Sembra di sì.
– E se chiedessimo ai maestri di inventare una ragione qualsiasi, per costringerli a modificare la loro decisione?
– Non so se i maestri si presterebbero a dire una bugia. E poi che ragione potrebbero inventare? I miei genitori metterebbero i motivi di famiglia davanti a tutto.
– Chi sa perché tra i motivi di famiglia i figli non c'entrano mai – ho sibilato con rabbia. Mi è venuta voglia di prendere il telefono e di urlare alla madre di Mario:
– Però le ha fatto comodo quando io sono venuta a casa sua ad aiutare suo figlio a fare i compiti, mentre era immobilizzato su una sedia a rotelle con le gambe rotte! I favori sapete chiederli, ma non volete farne!
Riflettendoci meglio, però, mi sono detta che questa era una ragione un po' stramba per convincerla a prendere una decisione diversa.
– Ad ogni modo ci possiamo telefonare – ha detto Mario.
Stavo per dirgli: "Come, ti sei già rassegnato?".
Invece gli ho detto: – Be', divertiti.

A. Petrosino, *Jessica e gli altri*, Sonda

1 Rispondo.

- Di che cosa Mario non è riuscito a convincere i suoi genitori? ....
- Che cosa propone di fare la sua amica, che racconta i fatti, per far cambiare loro decisione? ....
- Mario non è d'accordo con questa proposta. Per quali motivi? Che cosa pensa al proposito? ....
- Che cosa vuol dire secondo te l'amica di Mario con la frase: "Tra i motivi di famiglia i figli non c'entrano mai"? ....

So... scrivere un testo argomentativo

1 Immagino di essere Mario e di discutere con i miei genitori per convincerli a mandarmi alla scuola media che frequenteranno quasi tutti i miei compagni di classe.

I miei motivi

- Sostengo la mia tesi con una prima motivazione adatta.

....

....

....

....

- Sostengo la mia tesi con una seconda motivazione adatta.

....

....

....

- Concludo in modo adeguato.

....

....

....

2 Immagino di essere i genitori di Mario e faccio altrettanto.

I motivi dei miei genitori

- Sostengo la tesi con una prima motivazione adatta.

....

....

....

....

- Sostengo la tesi con una seconda motivazione adatta.

....

....

....

- Concludo in modo adeguato.

....

....

....

INDICE GENERALE

ORTOGRAFIA

MORFOLOGIA

SINTASSI

LESSICO

COMPRENDERE E PRODURRE

INDICE PER LA PROGRAMMAZIONE